LA QUÊTE DU SPARK

LIVRE UN

Écrit par Tom Sniegoski
Illustré par Jeff Smith

Couleurs par Steve Hamaker

Pour Mulder, qui chasse les lapins dans la vallée
Tu me manques, mon ami.

Bone® et © Jeff Smith. Tous droits réservés.
© 2011 Presses Aventure, pour la traduction en langue française.
© 2011 Jeff Smith pour l'édition originale.

Publié pour la première fois en 2011 par Scholastic, Graphix Inc.
sous le titre *Quest for the Spark – Book One*

PRESSES AVENTURE, une division de
LES PUBLICATIONS MODUS VIVENDI INC.
55, rue Jean-Talon Ouest, 2ᵉ étage
Montréal (Québec) H2R 2W8
CANADA

Dépôt légal–Bibliothèque et Archives nationales du Québec, 2011
Dépôt légal–Bibliothèque et Archives Canada, 2011

ISBN 978-2-89660-343-5

Nous reconnaissons l'aide financière du gouvernement du Canada par l'entremise du Fonds du livre du Canada pour nos activités d'édition.

Gouvernement du Québec — Programme de crédit d'impôt pour l'édition de livres — Gestion SODEC

Imprimé en Chine

À ma femme, LeeAnne, avec tout mon amour, et à notre petit nouveau, Kirby, pour son soutien indéfectible dans mes projets.

Je dois aussi remercier mon meilleur ami, Christopher Golden, ainsi que Liesa Abrams, James Mignogna, Dave «Knives Are Quiet» Kraus, papa et maman Sniegoski, papa et maman Fogg, Pete Donaldson et Timothy Cole et le Culte de Kali chez Cole's Comics à Lynn.

Et un merci tout spécial à Jeff et Vijaya de me faire confiance avec leur univers.

Place à la quête,
Tom

PROLOGUE

Un soleil anémique commençait à poindre à l'est, ses rayons dorés prisonniers d'une nappe de nuages gris menaçants. On ne pouvait espérer voir la clarté du soleil atteindre et, encore moins, réchauffer le royaume d'Athéia là-bas, au loin.

Dès son réveil, Mamie Ben ressentit cette funeste sensation qui l'étourdissait, qui la faisait osciller sur ses jambes et l'éveillait d'un sommeil qui n'arrivait pas à lui apporter le repos. Tout cela ne présageait rien de bon, absolument rien de bon.

Elle avait éprouvé cette sensation de temps à autre tout au long de sa vie, la première fois lorsqu'elle n'était qu'une jeune fille et encore princesse d'Athéia. Plus tard, elle devint reine, puis elle abandonna sa couronne et s'installa dans la Vallée pour s'occuper de Thorn, sa petite-fille.

Rien n'est pire que de commencer la journée avec cette curieuse sensation, pensa-t-elle en se glissant hors des draps et en replaçant sa robe pour se protéger du froid qui avait envahi la chambre à coucher. C'était là aussi un mauvais présage. Elle pouvait passer toute la journée à attendre, mais il se produisait toujours quelque chose. Cette sensation ne trompait pas.

Et, cette fois, Mamie Ben n'eut pas à attendre longtemps.

Debout dans le château royal face à la fenêtre, elle observa le ciel lourd tandis que le vent humide pénétrant dans la pièce ébouriffait ses cheveux blancs. C'est là que la surprit le cri, aigu et plein d'effroi.

Mamie Ben s'élança hors de la pièce en empruntant le couloir du château, plongeant son regard dans l'obscurité matinale, cherchant la source de cet horrible son. De nouveau, le hurlement retentit et, à l'approche de la chambre royale d'où provenait le cri, elle sentit grandir sa peur.

Cela provenait de la chambre de Thorn.

Sans se donner la peine de frapper, Mamie Ben ouvrit la porte et s'engouffra dans la chambre. Prissy, la servante de la reine, se tenait debout à côté du grand lit, les yeux écarquillés, remplis de terreur.

La reine Thorn reposait au centre du matelas, les draps et les couvertures froissées à ses pieds.

– Que se passe-t-il, Pris? demanda Mamie Ben.

– Je l'ai entendu crier, dit Prissy d'une voix tremblante. J'ai cru qu'elle faisait un cauchemar.

Thorn, la reine, toujours sous l'emprise d'un profond sommeil, poussa un gémissement tandis que sa tête oscillait d'un côté à l'autre sur l'oreiller.

—On dirait que ça continue, dit Mamie Ben. Elle posa doucement la main sur le pied de sa petite-fille. Ses orteils étaient
froids, comme des glaçons. Thorn, ma chérie, réveille-toi.
Elle secoua son pied. Tout va bien, ce n'est qu'un cauchemar… C'est l'heure de se lever. La reine gémit de nouveau,
avec insistance cette fois.

—Thorn, répéta Mamie Ben en élevant la voix. Elle pinça les
orteils de la jeune fille, suffisamment pour lui faire mal.

Mais, la reine continuait de dormir.

—Vous voyez? souffla Prissy effrayée. J'ai tenté de la réveiller,
mais, je n'y arrive pas.

Thorn poussa un ultime gémissement et se mit à trembler,
comme sous l'effet d'une forte grippe, ou de pire.

Voilà ce que Mamie Ben avait toujours redouté, c'était justement ce dont elle avait toujours voulu protéger sa petite fille
depuis ce jour où elle était venue se réfugier dans la Vallée.
Mais, il est difficile d'échapper à son destin et, comme un fin
limier retrouve toujours la piste de son gibier, on avait retrou-
vé leur trace, et la paix dont elles avaient joui depuis si longtemps était aujourd'hui menacée.

Mamie Ben se pencha pour ramasser les couvertures renversées sur le sol au pied du lit et en recouvrit la forme de Thorn
toujours endormie, alors qu'elle recommençait à bouger la
tête et les jambes.

C'était là un mauvais présage pour les temps à venir.

Elle savait que cette curieuse sensation ne trompait pas.

CHAPITRE 1

Aux premières heures de la journée, un peu avant que l'aube envahisse la vallée, Tom Elm rêvait. Mais, il ne s'agissait pas d'un de ces rêves enchanteurs. Non, c'était un cauchemar, et quoique le jeune garçon de 12 ans fasse, il ne parvenait pas à s'arracher au sommeil.

Il était en train de se noyer. Pas dans un lac, un étang ou un ruisseau, mais dans les ténèbres. Il battit l'air des pieds et des mains, luttant pour garder la tête hors des profondeurs sans fond. Il essaya de crier à l'aide, mais à chaque fois qu'il ouvrait la bouche, la pénombre cherchait à s'y engouffrer et l'ombre fétide l'étouffait.

–*À l'aide!* réussit à crier Tom, avant de sombrer de nouveau dans les profondeurs des vagues noires comme de l'encre. *À l'aide!*

Il ne pouvait plus de se battre. Exténué, il sombra dans les ténèbres et, tout en s'enfonçant, il pouvait entendre résonner le rire de quelqu'un – *ou de quelque chose* – dans ses oreilles.

Alors qu'il s'enlisait toujours plus, il tendit les bras à l'aveuglette, s'efforçant désespérément de freiner sa chute.

Ses mains rencontrèrent quelque chose de dur. C'était sa pierre chanceuse insérée dans une lanière de cuir suspendue à son cou, la pierre qu'il avait trouvée dans le lieu le plus ancien du monde. Elle commença à luire, légèrement au début, puis, elle se mit à briller de plus en plus, jusqu'à chasser l'obscurité envahissante. Repoussant les ténèbres.

. . .

Tom s'éveilla en sursaut. Il pouvait encore entendre le souffle de l'ombre opaque et liquide battre et il se demanda si le cauchemar était terminé ou s'il le poursuivait dans le monde de l'éveil.

Assis dans son lit, il vit Roderick, le raton laveur, accroupi devant un petite table en bois de l'autre côté de la chambre. Il lavait une pomme déjà entamée dans un bol d'eau laissé par la mère de Tom pour qu'il puisse se laver le visage.

– Bonjour, Tom, dit le raton laveur, secouant son dîner pour éliminer le surplus d'eau. As-tu fait un mauvais rêve?

Tom jeta un rapide coup d'œil à la pierre toujours pendue à son cou et, voyant qu'elle ne brillait plus, il poussa un soupir de soulagement.

– Oui, je pense que j'ai fait un cauchemar, dit-il en lançant les jambes pour descendre du lit et en s'étirant. Mais, maintenant ça va mieux.

Roderick était le meilleur ami de Tom depuis que le raton était descendu des montagnes avec un vilain mal de ventre plus de trois ans auparavant. Il avait mangé quelque chose qui n'avait pas fait bon ménage avec son estomac et était

alors trop malade pour poursuivre son voyage. Tom et sa mère s'étaient occupés du petit raton laveur jusqu'à ce qu'il soit guéri. Par la suite, au lieu de retourner dans la montagne, il avait décidé de rester chez Tom. Orphelin – ses parents avaient été mangés par des rats-garous alors qu'il n'était qu'un bébé raton laveur – Roderick était le bienvenu chez les Elm. On le traitait souvent comme le frère que Tom n'avait jamais eu, bien qu'il ait conservé certaines des mauvaises habitudes propres aux ratons laveurs, et qu'il mangeait parfois ce qui ne lui était pas destiné.

– Que fais-tu? demanda Tom.

– Je nettoie ma pomme, répondit Roderick, en passant une main sur son fruit. Les ratons laveurs sont extrêmement pointilleux en ce qui a trait à la propreté de leur nourriture, probablement parce qu'une bonne part de leur diète provient des endroits les moins appétissants.

– Mais, tu en as déjà mangé la moitié; pourquoi la laver maintenant? demanda Tom pendant qu'il revêtait une simple tunique. L'as-tu trouvée dans les déchets? interrogea-t-il d'un ton soupçonneux, en passant une large ceinture de cuir autour de sa taille.

– Les déchets des uns font un excellent dîner pour les autres, répliqua Roderick d'un ton hautain, en polissant vigoureusement ce qui restait de peau bien rouge et en admirant son reflet. Tu en veux? lui offrit-il.

—Je crois que je vais patienter jusqu'au déjeuner, répliqua Tom, en plissant le nez en signe de dégoût. Il enfila ses courtes bottes de cuir et son chapeau. Les membres de ma famille sont-ils déjà partis dans les champs? demanda le garçon, en se dirigeant vers la porte de la chambre.

Le raton laveur fit «oui» de la tête et sauta au bas de la table, la pomme partiellement mangée glissée sous son bras poilu.

—Depuis très longtemps déjà.

Tom traversa la maison vide pour se rendre à la porte arrière.

—Pourquoi ne m'ont-ils pas réveillé? demanda-t-il, en franchissant la porte.

—Ils ont essayé, mais tu dormais trop profondément, répondit le raton laveur en marchant à côté de Tom.

Tom ressentit un frisson et certaines images de son cauche-mar lui revinrent en mémoire.

–Je leur ai dit que je te réveillerais, ajouta Roderick.

–Et, alors? demanda Tom.

–Alors… j'ai trouvé cette superbe pomme. Le raton laveur contemplait amoureusement le morceau de fruit déjà partiel-lement consommé.

–Trouvée dans les ordures, lui rappela Tom en riant. Puis, il s'engagea dans un sentier qui serpentait à l'arrière de la maison familiale.

–Elle ne se trouvait pas dans les ordures, mais… expliqua le raton laveur, s'efforçant de suivre le rythme de son ami, regarde, elle est encore très bonne.

Roderick essaya de le lui faire voir, mais Tom n'était pas inté-ressé. Il fallait qu'il se rende dans les champs. Comme le disait toujours son père, les navets n'allaient certainement pas se récolter tout seuls.

. . .

La famille Elm cultivait les navets depuis plusieurs générations.

Le grand-père de Tom cultivait des navets, de même que le père de son grand-père. Il était donc entendu que Tom lui aussi cultiverait des navets, qu'il le veuille ou non. Dans toute la vallée, les Elm étaient reconnus pour leurs navets, et on s'attendait bien à ce que Tom perpétue cette tradition.

–Tu es au ralenti aujourd'hui, mon fils? demanda le père de Tom, en déposant un panier rempli de navets à l'arrière du chariot.

Tom courba le dos et, tirant sur les feuilles, il arracha un plant de navet. Il secoua la terre avant de le passer à Roderick qui le porta dans un panier.

—Oui, monsieur, répondit Tom en s'approchant d'un autre bouquet de feuilles sortant de la terre fertile. Sa petite sœur, Lottie, se mit à rire et, prêtant main forte à sa mère, elle l'aida à soulever un autre panier pour le déposer dans le chariot.

Tom ne se sentait toujours pas très bien. Le souvenir de son cauchemar s'était progressivement estompé, mais il en gardait une sensation de malaise.

—Je n'ai pas très bien dormi la nuit dernière, monsieur, expliqua-t-il à son père. J'ai fait des cauchemars.

—Des cauchemars? Le père de Tom retira le grand chapeau qu'il portait pour protéger du soleil son crâne chauve et essuya la sueur qui y perlait avec un linge qu'il prit dans sa poche arrière. Je crois que, si tu pensais un peu plus à l'entreprise familiale, tu ferais moins de cauchemars.

—Oui, monsieur, répondit Tom, en arrachant un autre navet et en soulevant un nuage de poussière.

—Il n'a pas tout à fait tort, suggéra le raton laveur d'une voix nerveuse. Tom jeta un regard mauvais à son ami à fourrure.

Parmi les membres de sa famille, il était le seul qui pouvait comprendre Roderick quand celui-ci parlait, mais, parfois, il aurait souhaité ne pas être différent des autres.

Son père remit son chapeau sur sa tête.

—Il semble que tu ne sois pas prêt de terminer ta récolte.

Nous allons donc aller porter ces paniers au marché.

Lottie émit de nouveau un petit rire. Elle aimait bien ces moments où Tom avait des ennuis.

–Oui, monsieur, répondit encore Tom, en s'efforçant de retrouver son rythme habituel.

–Espérons que, à notre retour, tu auras terminé. Nous apporterons donc ton panier avec la récolte de demain.

Tom hocha la tête, arracha un autre navet, secoua la terre accumulée entre les racines et le tendit au raton laveur qui attendait, immobile.

Son père resta silencieux. Puis, il monta sur le chariot et alla s'asseoir à côté de la mère et de la sœur de Tom; il fit claquer les rênes et le cheval se mit lentement en marche en tirant le chariot derrière lui.

–Il n'a pas tout à fait tort, hein? dit Tom furieux, en imitant Roderick qui venait de s'approcher de lui.

–Mais… commença le raton laveur en se préparant à se défendre. C'est parce que tu penses toujours à cette folie, devenir un soldat de la reine.

–Et, pourquoi serait-ce une folie? demanda le garçon?

–Tu cultives des navets, répondit Roderick, en saisissant quelques feuilles et en les arrachant d'un bon coup. Un navet bien mûr émergea de terre. Tu n'es pas un soldat.

–Mais, je pourrais le devenir, intervint Tom.

Le garçon s'étira la colonne vertébrale. Récolter des navets c'est vraiment très dur pour le dos. Un jour, je vais me rendre au royaume et je vais offrir mes services à la reine Thorn.

Roderick porta le navet jusqu'au panier.

– Mais, qu'adviendra-t-il de l'entreprise de la famille Elm?

Tom haussa les épaules.

– Elle reviendra à Lottie.

– Ce n'est pas ce que souhaite ton père, lui rappela Roderick en arrachant un autre navet.

– Ouais, et moi, qu'en est-il de ce que *je* veux, demanda le garçon. Et si moi, je ne souhaite pas cultiver des navets?

– Cultiver des navets n'a rien d'idiot, répliqua Roderick.

– Non, *c'est* idiot, et c'est très ennuyeux!

Roderick hocha sa tête poilue.

– Ennuyeux, cultiver des navets? Pas du tout! Rappelle-toi le jour où nous avons trouvé le navet géant l'année dernière. Est-ce que ça c'était ennuyeux?

La main de Tom chercha la pierre sombre qui pendait à son cou. Roderick et lui travaillaient ensemble dans les champs, quand Tom déterra un des plus gros navets qu'ils aient jamais vus. Il était énorme, plus gros que la tête de son ami Omar… et la tête d'Omar était vraiment très grosse.

Mais le légume n'était pas parfait, puisqu'une fissure dente-lée s'étendant sur toute la longueur de la masse ronde du

navet gâchait la blancheur de sa peau. Mais, à l'intérieur, Tom avait trouvé sa pierre. Une pierre au cœur d'un navet d'une telle taille ne pouvait que lui porter chance. Il l'avait aussitôt installée sur une petite lanière de cuir qu'il portait toujours à son cou depuis ce jour.

Mais, justement, elle ne lui avait pas tellement porté chance cette pierre.

Une image lui revint soudain en tête, une image de la pierre brillant comme s'il s'agissait d'un fragment de soleil et repoussant les ténèbres menaçant de l'engouffrer.

– Qu'y a-t-il? demanda Roderick, Tu ressembles à quelqu'un qui est sur le point d'être malade.

– Non, répondit le garçon, soudain rendu craintif. C'est… Ce n'est qu'un souvenir qui me revient à l'esprit tout à coup.

– Un mauvais souvenir? demanda le raton laveur dont la voix grinçante n'était plus maintenant qu'un souffle grinçant.

– Quelque chose… qui fait peur, répondit Tom

Les ombres de la forêt semblaient s'épaissir et Tom aurait juré qu'elles se rapprochaient lentement de Roderick et de lui.

Les amis terminèrent leur récolte en vitesse, et même le père de Tom aurait été impressionné par l'énergie qu'ils déployèrent. Tom souleva son panier et tous deux, marchant côte à côte, quittèrent les champs. D'une voix inquiète, Roderick demanda à Tom ce qui n'allait pas, mais Tom ne voulait pas parler de son cauchemar, pas plus qu'il ne voulait parler des ombres environnantes. Il n'aspirait plus qu'à la sécurité de sa maison.

Ils se dépêchèrent, dévalant le sentier qui serpentait jusqu'à la maison – sans apercevoir ce qui se passait derrière eux.

Ils ne virent pas comment, de la lisière de la forêt entourant les champs de navets de la famille Elm, quelque chose commençait à prendre forme. Un être fait de terre riche et épaisse, de racines, de plantes grimpantes, d'herbes et de feuilles.

Une femme. Qui jetait sur le jeune garçon et son compagnon un regard noir et intéressé.

CHAPITRE 2

Percival releva la tête et, de son gros nez bulbeux, il renifla la brise qui entrait par la fenêtre ouverte. Ses narines frémirent et remuèrent tandis qu'il s'efforçait d'identifier les odeurs qu'il percevait. C'était là un don qu'on se transmettait de génération en génération chez les aventuriers et les explorateurs de la famille Bone, et personne n'excellait à cet exercice autant que Percival.

Il pouvait sentir le vent aussi distinctement que le pain frais ou que l'herbe fraîchement coupée, et il savait que le mauvais temps s'en venait à grands pas.

– Ça, ce n'est pas bon, grommela Bone, en rassemblant les cartes du ciel étalées sur le bureau. Ce n'est pas bon du tout. Il se dirigea vers le corridor, les cartes de navigation glissées sous le bras.

– Abbey, Barclay! cria-t-il en commençant à descendre l'escalier de la vieille maison familiale. Sa nièce franchit aussitôt le coin en courant, son neveu sur ses talons.

—Qu'y a-t-il, oncle Percy? demanda Abbey Bone à bout de souffle. Elle avait mis sa plus jolie robe de soirée, une boucle rouge vif ornait ses cheveux blonds qui retombaient sur les épaules.

—As-tu besoin de nous, oncle Percy? demanda Barclay. Lui aussi avait soigné sa tenue, il avait endossé une veste de sport et une cravate.

Pendant une minute, Percival n'eut aucune idée de la raison pour laquelle les enfants avaient revêtu leurs plus beaux habits, puis cela lui revint, en même temps qu'un douloureux sentiment de culpabilité. Il détestait être forcé de les décevoir, mais aujourd'hui il n'avait pas le choix.

—Hé! C'est moi qui pose les questions ici, aboya Abbey, en enfonçant son coude dans les côtes de son frère jumeau. C'est toujours le plus vieux qui pose les questions.

Abbey Bone était née deux bonnes minutes et vingt-trois secondes avant son frère, et elle ne manquait aucune occasion de le lui rappeler.

Barclay fit la grimace, en se frottant les côtes.

—Tu as besoin de nous, oncle Percy? répéta Abbey, ignorant les ricanements de son frère.

—Une tempête se dirige vers nous et je sens qu'elle risque d'être redoutable, dit le plus vieux des représentants de la famille Bone comme il atteignait le bas de l'escalier. Alors, il faut que vous m'aidiez à préparer la *Reine des airs*. Je crois que je vais devoir devancer mon départ.

Il lut tout de suite la déception sur leur visage.

—Mais, et notre soirée de célébration? demanda Abbey d'une voix brisée.

—Oui, nous avions prévu de partager des saucisses Bratwurst et un gâteau éponge ce soir, et tu devais nous raconter des histoires pour nous expliquer comment il se fait que tu es sur le point de faire la découverte la plus importante de toute l'histoire de Boneville, ajouta Barclay en levant le pouce et l'index et en louchant presque tellement ils étaient près de lui.

Percival se sentait mal à l'aise. Les jumeaux adoraient qu'il soit à la maison, et il n'était de retour que depuis deux semaines. Mais il croyait fermement être sur le point de faire une découverte historique. De quoi s'agissait-il exactement, il n'en avait pas encore discuté avec les jumeaux, mais il savait que, si ses nouvelles recherches s'avéraient justes, il allait sous peu faire une découverte que tous les membres de la Société des explorateurs de Boneville lui envieraient.

Il le sentait jusque dans ses os, pour ainsi dire. Et maintenant, il fallait qu'il parte sur le champ ou qu'il risque qu'un autre explorateur ambitieux fasse cette découverte avant lui.

—Désolé, les enfants, dit Percival tout en longeant le corridor reliant la maison et l'atelier servant également de hangar à la *Reine des airs*. Mais, une découverte comme celle-ci ne saurait attendre.

—Mais, tu devais nous raconter toutes sortes d'histoires au sujet de nos parents, et de tout ce que tu leur as appris concernant les aventures et les voyages à travers le monde, ajouta Abbey en reniflant d'un air triste.

Percival s'immobilisa et s'accroupit pour s'adresser aux petits Bone.

—Je sais que je vous avais promis, mais il arrive parfois qu'on ne puisse tenir sa promesse.

—Pour chercher la fortune et la gloire? demanda Abbey.

—Exactement, répondit Percival. Croyez-moi, il n'y a rien que j'aimerais plus que de manger quelques saucisses Bratwurst et une bonne tranche de gâteau éponge avec ma nièce et mon neveu préférés, mais…

—L'appel de l'aventure est le plus fort, s'écrièrent les deux enfants à l'unisson.

—Exactement! s'exclama Percival Bone, le doigt dressé devant lui, tout en longeant le corridor en direction du hangar. Maintenant, profitons du temps qu'il nous reste pour embarquer les provisions sur la *Reine des airs* et…

Il réalisa tout à coup qu'il était seul.

—Mais où êtes-vous passés? demanda-t-il, en faisant volte-face.

Les jumeaux se tenaient encore où il les avait laissés, côte à côte, sans se frapper, un événement rare.

—Qu'y a-t-il? s'enquit-il, en revenant sur ses pas.

—Abbey ne veut pas que tu t'en ailles, dit Barclay. Sa sœur se mit aussitôt à lui marteler furieusement le bras.

—Tu, ne veux pas qu'il parte toi non plus, dit-elle.

Percival leva les yeux au ciel. Ils agissaient ainsi chaque fois qu'il s'absentait depuis qu'il était devenu leur tuteur et qu'il les avait recueillis chez lui.

—Tout se passera très bien, leur dit-il pour les rassurer.

—Et si vous vous conduisez bien pendant mon absence, peut-être donnerai-je votre nom à un des nouveaux animaux que je vais découvrir.

—Un Barclaysaurus! suggéra le garçon les yeux brillants à la pensée de toutes les conséquences d'un tel événement.

—Peut-être, le taquina Percival.

—Maman et papa, eux aussi, avaient dit que tout se passerait bien, dit Abbey, en regardant ses pieds d'un air triste.

Percival eut soudain honte de sa conduite. Il avait affirmé aux jumeaux qu'il s'en allait explorer les glaces des Territoires du Nord-Ouest. Mais, en fait, il devait se joindre à une expédition très similaire à celle qui avait coûté la vie à leurs parents, bien que leur destin exact demeurât inconnu à ce jour.

—Je vous promets que je serai très prudent, dit Percival, en faisant une croix sur son cœur pour sceller l'entente. Me croyez-vous?

Abbey leva lentement les yeux à sa hauteur.

—Je te crois, clama joyeusement Barclay. Sa sœur lui donna un bon coup sur le bras de nouveau. Aïe! cria-t-il en portant la main à son membre endolori.

—Pourquoi as-tu fait cela?

Les yeux d'Abbey étaient toujours fixés sur Percival, et celui-ci sentait la sueur perler autour de ses sourcils.

– Dis-moi pourquoi tes yeux s'agitent-ils comme si tu étais inquiet? demanda-t-elle, soudain soupçonneuse.

– Inquiet, répondit-il en riant nerveusement. Je ne suis pas inquiet du tout… c'est toute la poussière de cette vieille maison qui pique les yeux. Il se mit à tousser et se frotta les yeux. Ce sont mes allergies.

Abbey posa les mains sur ses petites hanches et l'étudia attentivement.

– C'est plutôt curieux, dit-elle. Maman et papa disaient toujours qu'ils pouvaient savoir si tu mens par l'agitation qu'on peut voir dans tes yeux.

– Mentir, moi? Ne sois pas idiote, dit Percival avec indignation. Il détacha un bouton des nombreuses poches de la chemise de son ensemble saharien, prit son mouchoir et épongea rapidement la sueur qui baignait ses sourcils.

– Je vais devoir appeler madame Doozle pour lui demander de rester avec vous pendant mon absence. Elle viendra peut-être accompagnée de l'ocelot qu'elle a apprivoisé et… Il essaya de changer de sujet, tout en remettant le mouchoir humide dans sa poche.

– Tu mens à propos de quelque chose. En disant cela, Abbey tapa fortement du pied.

Haletant, Percival s'efforça de couvrir son œil droit qui tressautait vivement maintenant.

– Je ne mens pas, affirma-t-il faiblement.

– Voilà que tu mens à propos de tes mensonges, maintenant! affirma Abbey.

Percival était sans voix, pris au piège par les accusations de sa nièce.

—Arrête, Abbey, ordonna Barclay. Que dis-tu là! Jamais oncle Percy ne nous mentirait.

Le jeune garçon regarda son oncle, cherchant à confirmer ses propos.

—Ai-je raison, mon oncle? Jamais tu ne ferais cela, n'est-ce pas?

Percival s'apprêtait à leur mentir à nouveau mais, soudain, il ne pouvait plus supporter le regard d'Abbey.

Il n'avait plus le choix, il devait la vérité à ses neveux.

—J'ai peur que ta sœur ait raison, dit-il avec un profond soupir et en inclinant la tête.

—Mais, il faut que vous compreniez que tout ce que j'ai fait c'était pour votre bien.

—Pourquoi, oncle Percy? demanda Barclay.

—Qu'y a-t-il de si terrible pour que tu ne puisses pas te résoudre à nous dire la vérité?

—C'est au sujet de la destination de ta prochaine aventure, n'est-ce pas? demanda Abbey d'un ton sérieux, inhabituel dans la bouche d'une enfant de cet âge. Percival réalisa alors qu'il aurait dû fermer la porte de son bureau à clé. Quelqu'un avait jeté un coup d'œil sur ses recherches.

—Je ne voulais pas que vous soyez inquiets, expliqua-t-il.

—Où vas-tu? demanda Barclay.

—Il va essayer de trouver la Vallée, dit avec amertume Abbey, dont les yeux commençaient à s'embuer de larmes. Il va essayer de trouver la Vallée et, comme maman et papa, il ne reviendra plus jamais.

Percival se pencha et prit les jumeaux dans ses bras.

—Non, non, il ne s'agit pas de cela, pas du tout. Il les tint fermement enlacés, espérant qu'ils pourraient sentir combien ils comptaient pour lui… comme il les aimait. Je veux trouver la Vallée, et savoir ce qu'il est advenu de vos parents, puis revenir aussitôt que possible.

—Mais, la Société des explorateurs de Boneville dit que la Vallée n'existe pas, et que maman et papa se sont probablement perdus et sont morts dans des régions inexplorées, dit Abbey, sa petite voix étouffée par l'émotion.

—Mais, ce n'est pas ce que nous croyons, n'est-ce pas, oncle Percival? ajouta Barclay, en le fixant de son grand regard brun interrogatif.

Tout comme son père, pensa Percival.

—Non, ce n'est pas ce que nous croyons, répéta-t-il.

—Nous pensons que c'est faux parce que les cousins Bone sont allés dans la Vallée, n'est-ce pas, oncle Percival?

—C'est, en effet, ce que je crois, oui.

Abbey se libéra de l'étreinte de son oncle et se croisa les bras l'air maussade. —La Société des explorateurs de Boneville affirme que les cousins Bone ne sont que des menteurs.

—La Société des explorateurs de Bonneville affirme beaucoup de choses avec lesquelles je ne suis pas d'accord, dit Percival.

—Moi non plus, je ne suis pas d'accord avec eux, ajouta Barclay.

Abbey renchérit d'une voix mauvaise.

—Hé bien, vous devriez les croire, lança-t-elle d'un ton cassant.

—Parce que, si maman et papa les avaient écoutés, ils seraient encore parmi nous aujourd'hui.

Elle était au bord des larmes. Percival s'avança vers elle pour la consoler, mais Abbey, submergée par l'émotion, fit un pas en arrière. Comprenant sa colère, Percival passa sa main sur sa joue en s'efforçant de trouver les mots pour s'expliquer.

—Votre maman et votre papa étaient deux des plus braves explorateurs que j'ai connus. Ils croyaient que la Vallée se trouvait quelque part par là, et ils étaient déterminés à tout mettre en œuvre pour la localiser, en dépit des affirmations des membres de la Société des explorateurs de Boneville... Ils étaient ainsi. Il posa la main sur sa poitrine en regardant sa nièce. Je suis désolé, mais il en est de même pour moi.

—Moi aussi, s'exclama Barclay, bombant le torse avec fierté.

Abbey se préparait à le frapper de nouveau, mais le garçon fit un pas de côté avant que le coup puisse l'atteindre.

—Je n'ai jamais voulu vous faire du mal, les enfants, dit Percival. Je ne voulais pas que vous vous inquiétiez.

—Comme si tout ça n'existait pas, dit Abbey en roulant les yeux.

—Et si je vous promettais de faire très, très attention, glissa Percival. Et de revenir au plus tôt.

—Sans faire de détour? demanda Abbey.

Il inclina la tête.

—Pas le moindre détour, pas d'autres excursions.

L'explorateur attendit la réponse de la fillette, et de son frère.

—Eh bien?

Barclay poussa sa sœur du coude.

—Qu'est-ce que tu en penses… on le croit ou non?

Elle était très sérieuse, scrutant Percival de son regard si intense, et celui-ci pouvait presque discerner le mouvement des engrenages dans sa petite tête. Puis, son expression s'adoucit … et Abbey sourit, comme pour le récompenser d'avoir été honnête.

—Je te crois. Elle se précipita aussitôt dans ses bras et l'enlaça.

—Mais reviens vite, parce que je suis certaine que tu ne voudrais pas prendre l'habitude de mentir aux petits enfants comme cela.

—Ce serait vraiment horrible, acquiesça Percival, étreignant l'enfant à son tour.

Barclay fit un pas en avant pour bénéficier lui aussi à son tour de sa part de l'affection de son oncle, mais Abbey le frappa vivement à l'épaule. Le garçon hurla.

—Voilà pour toi, tu n'avais pas à me bousculer, gronda-t-elle. Ne bouscule jamais ceux qui sont plus vieux que toi.

Oncle Percival se redressa.

– Bien, vous deux, assez chahuté, dit-il. Nous avons beaucoup à faire avant l'arrivée de la tempête.

– Je ne sais plus trop si je serai en mesure de t'aider, oncle Percy, dit le garçon. Depuis que ma sœur m'a frappé, mon bras est comme du caoutchouc. Barclay remuait le bras comme si effectivement, tout à coup, il était totalement dépourvu d'ossature. Je ne sens plus aucun os dans mon bras.

– Au travail, mon garçon ! s'exclama son oncle. Tu vas avoir besoin de tes deux bras si tu veux m'aider à charger le matériel sur la *Reine des airs*.

Percival parcourut presque au pas de course les derniers mètres du corridor qui le séparait de la lourde porte en bois barrant l'accès au hangar. Il plongea la main dans sa poche et en retira une grosse clé de facture ancienne, il la glissa dans la serrure et tourna.

– Chaque minute compte. Il ouvrit la porte qui révéla son bien le plus précieux : La *Reine des airs*.

Percival pénétra à grandes enjambées dans la vaste pièce au plafond de verre où reposait la *Reine des airs*. À une certaine époque, la salle avait servi de serre où poussaient les fleurs les plus jolies et les plus colorées de Boneville. Mais, depuis qu'oncle Percival avait pris possession de la vieille demeure, tout avait changé. C'était aujourd'hui l'atelier et la salle abritant le formidable vaisseau. Percival ressentait un frisson chaque fois qu'il le voyait, pour lui rien n'était plus beau.

Le corps de la *Reine des airs* était fait du bois le plus solide et le plus durable qu'on puisse trouver dans les forêts des environs de Boneville. Elle ressemblait à un vaisseau prêt à naviguer sur les mers, mais, à la place des voiles, trois grands ballons en supportaient le poids, des ballons qu'on était justement en train de remplir de gaz afin de la préparer pour son prochain voyage. De puissantes hélices situées de part et d'autre de la coque en assuraient la propulsion et permettaient de la diriger. Aucune contrée n'était hors de portée de la *Reine des airs*.

À travers la verrière du plafond, Percival jeta un coup d'œil au ciel agité à l'extérieur. La tempête approchait beaucoup plus rapidement qu'il ne l'avait prévu et, il le sentait, elle allait être bien pire que ce qu'il avait d'abord cru.

Il se dirigea immédiatement vers les fournitures et l'équipement spécial qu'on avait empilé à l'avant du vaisseau. Abbey et Barclay avaient déjà commencé à transporter les boîtes sur la passerelle d'embarquement et dans le vaisseau.

– Ça va, les enfants? demanda Percival en soulevant à son tour deux boîtes et en les suivant sur la passerelle.

– Tu as beaucoup de caisses de pommes de terre, mon oncle, non? fit remarquer Barclay. Combien de temps penses-tu être absent?

Percival rit de bon cœur.

– On n'a jamais trop de pommes de terre, mon garçon, dit-il. Surtout quand il s'agit de la principale source de carburant pour le vaisseau.

Percival F. Bone était un pionnier en matière de découvertes scientifiques inusitées et curieuses. Il était, à sa connaissance, le seul explorateur de tout Boneville à utiliser le potentiel non exploité de la pomme de terre comme source d'énergie. Au cœur du précieux tubercule sommeillait une énergie électrique qui attendait d'être exploitée, et il était enchanté de pouvoir lui rendre ce service.

Abbey se tenait sur le pont de la *Reine des airs*, et elle observait le ciel gris et menaçant qui tournoyait au-dessus de la demeure ancestrale de la famille Bone.

—Es-tu certain que tu veuilles partir durant cette tempête, oncle Percy? demanda Abbey, alors que le vent se mettait à mugir à l'extérieur.

—Tout ira bien, dit Percival, en prenant d'autres boîtes des mains de son neveu, au moment où celui-ci atteignait le haut de la passerelle. Mon nez me dit que la tempête ne sera pas ici avant au moins une heure.

Percival redescendait pour poursuivre le chargement des provisions lorsque le hangar devint très sombre et qu'un son ressemblant à celui d'une locomotive lancée à toute vapeur emplit l'air. Il leva les yeux et vit que le ciel à l'extérieur était devenu noir comme en pleine nuit, et que le vent avait maintenant pris la forme d'un entonnoir aspirant tout sur son passage, autant les roches que les arbres, absolument tout.

—Hé, oncle Percy? lança Abbey du haut du pont de la *Reine des airs*. Ton nez t'a-t-il déjà trompé?

—Oh, une ou deux fois, oui, répondit le plus vieux représentant de la famille Bone, tandis que la tempête rugissait comme une énorme bête préhistorique et s'abattait sur le toit.

. . .

L'orage était monstrueux.

Un cône de vent violent tourbillonnant et chargé de terre fracassa la verrière. Elle s'engouffra dans l'ouverture ainsi créée au plafond de la serre reconvertie, à la recherche d'une nouvelle proie à dévorer.

Percival regardait avec horreur la furieuse masse d'air tournoyante qui commençait à tout anéantir sur son passage. Plusieurs années lui avaient été nécessaires pour transformer la vieille serre en atelier, mais la tempête mettait tout en pièces en un rien de temps. L'entonnoir virevolta véritablement, arracha les lames du parquet et avala le bois, encore affamé, avant de poursuivre sa route à travers la grande salle.

Les années passées à parcourir le monde lors de ses multiples aventures avaient appris à Percival à réagir avec rapidité et avec calme, afin d'éviter les catastrophes, et c'était exactement ce qui était en train de prendre forme sous ses yeux en ce moment.

Barclay restait figé, alors que la masse tourbillonnante remplie des débris soulevés par la tornade se dirigeait vers lui, aspirant tout dans son sillage.

Son neveu serait la prochaine victime si Percival n'agissait pas. De la passerelle, il sauta sur le sol, en hurlant le nom du garçon, espérant ainsi rompre le charme et sortir l'enfant de sa torpeur face au vent violent. Au début, il pensa qu'il ne l'avait pas entendu à cause du bruit que faisait la tornade en saccageant tout, mais, soudain, Barclay tourna la tête vers son oncle.

– Oncle Percy! cria-t-il effrayé.

Derrière lui, la tempête furieuse soulevait les boîtes, les caisses de pommes de terre et les pièces de rechange destinées aux moteurs de la *Reine des airs*, gavant voracement son ventre tourbillonnant. Un instant, il semblait que Percival allait arriver trop tard, mais tant qu'il lui restait la moindre chance de parvenir jusqu'à son neveu, Percival F. Bone, aventurier extraordinaire, devait assumer tous les risques. Et c'est exactement ce qu'il fit : il se précipita sur le garçon, le souleva de terre et le jeta sur son épaule. Puis, il fit volte-face et fonça sur la *Reine des airs*, la tornade avide lui mordant presque les talons.

— Cours, oncle Percy, cours ! cria Barclay.

Percival pouvait sentir le froid de la tempête, son souffle humide dans son cou, le grondement de sa progression faisant trembler ce qu'il restait du plancher sous le martèlement de ses pas. Il grimpa sur la passerelle en direction du pont de la *Reine des airs*, où l'attendait Abbey, le visage tordu par la panique.

— Dépêche-toi ! cria-t-elle malgré le mugissement de la tempête qui rageait. Elle est juste dans votre dos !

Percival n'était plus qu'à quelques pas de la *Reine des airs* quand il sentit vibrer la passerelle comme s'il s'agissait d'un jouet malmené dans la gueule d'un chien en train de jouer. Il banda les muscles de ses jambes et sauta sur le pont, juste au moment où la passerelle se dérobait sous ses pieds, emportée par l'élan de la tornade.

Barclay poussa un cri de tous les diables dans les oreilles de Percival, tandis qu'ils étaient projetés à travers l'atmosphère tumultueuse et commençaient à amorcer une descente vertigineuse à quelques millimètres seulement du flanc de la *Reine des airs*. Réfléchissant à la vitesse de l'éclair, Abbey saisit une corde sur le pont et la laissa pendre le long de la coque du vaisseau. Les mains de Percival battirent l'air et il réussit à agripper la corde. Il se hissa, lui et son passager toujours pendu à son cou, en prenant appui sur la surface arrondie du vaisseau, malgré le vent que la tempête continuait de balayer dans leur direction.

—Belle récupération, s'exclama Percival tandis qu'Abbey les aidait à franchir la lisse et à prendre pied sur le pont.

—Je croyais bien que tout était fichu pour vous, dit-elle en les étreignant tous deux avec force.

—Nous ne sommes pas encore tirés d'affaire pour autant, ajouta Percival, tandis que la *Reine des airs* commençait à tanguer et à faire un mouvement de roulis, puis à tournoyer violemment. La tempête brisa les épais câbles amarrant le vaisseau du ciel au sol de la serre comme s'il ne s'agissait que de simples fils et aspira la *Reine des airs* dans sa panse tourbillonnante. Elle ne fit qu'une bouchée du vaisseau et de tous ceux qui se tenaient sur le pont.

CHAPITRE 3

La peine de Randolf Clearmeadow ne le quittait jamais, mais, au cours de toutes ces années, il avait fini par s'y habituer. Presque tous les habitants du petit village de Trumble et tous les habitués de la minable taverne, où il passait la plupart de son temps, connaissaient son passé, et sa honte. Les douloureux souvenirs lui revinrent comme toujours et Randolf sut qu'il aurait besoin de plusieurs autres chopes de bière pour les repousser. Mais, pour cela, il lui faudrait encore puiser dans les récits de son passé – du temps où il était un guerrier Veni-Yan.

Quand il était un héros.

Il vérifia que les quatre chopes devant lui étaient vides et, malheureusement, elles l'étaient bien. Repoussant sa chaise, l'ancien prêtre guerrier quitta le coin sombre où il s'était réfugié et se dirigea à pas incertains et lents vers le centre de la pièce. Il examina les personnes présentes dans la taverne, cherchant un visage inconnu, quelqu'un qui puisse s'intéresser à son récit et lui offrir un verre.

—Seriez-vous intéressé à entendre un récit du passé, gentil voyageur? demanda-t-il à un homme qui tirait paisiblement sur sa pipe, laissant périodiquement s'échapper une volute de fumée au coin de sa bouche.

—Et combien cette histoire me coûterait-elle? répondit l'homme assis devant une cruche de bière.

Randolf jeta un coup d'œil à la consommation de l'homme, souhaitant qu'elle soit sienne.

—Un verre, répondit-il. Un verre pour m'aider à me souvenir des jours glorieux du passé, et à oublier les peines trop lourdes à supporter aujourd'hui.

L'homme continua à tirer sur sa pipe, puis, finalement, plongeant la main dans une bourse en cuir suspendue à sa ceinture, il en retira une seule pièce. Après une courte pause, il la posa sur la table et la fit glisser vers Randolf.

—Est-ce que ceci sera suffisant? demanda-t-il.

C'était plus que suffisant, et l'eau vint à la bouche de l'ancien guerrier Veni-Yan. Il tendit la main vers la pièce, mais l'homme fut plus rapide que lui et la recouvrit vivement de sa main.

—J'espère que tu me réserves une bonne histoire, dit-il. Il me faut un récit palpitant. Il releva ensuite la main, exposant de nouveau la pièce.

Randolf la saisit et se dirigea vers le bar.

—Je voudrais entendre un récit des *Nuits de foudre*.

À la mention de l'époque où les velus avaient quitté leurs montagnes pour assiéger les villages et les fermes de la Vallée, le dos de Randolf se raidit.

Sa main tremblait quand le barman lui tendit sa chope et qu'il la porta vivement à sa bouche.

Oui, il connaissait une histoire, une histoire racontant comment, lors d'une de ces terribles nuits au cours desquelles le Veni-Yan combattit les rats-garous, il perdit tout ce qu'il avait de plus cher.

Il pouvait encore les voir, sa femme et sa fille, se tenant solennellement sur le pas de la porte de leur maison, agitant la main en signe d'au revoir. Elles détestaient le voir partir, craignant que chaque départ soit celui dont il ne reviendrait pas. Mais, comme toujours, elles faisaient preuve de beaucoup de courage, tandis qu'il s'apprêtait à combattre les horribles rats-garous repartis dans les montagnes. Braves, alors qu'elles allaient mourir parce qu'il n'y avait personne pour les protéger.

Oui, Randolf avait une histoire à raconter, mais il aurait tout donné pour pouvoir l'oublier.

—Je ne connais aucun récit concernant les *Nuits de foudre*, répondit Randolf, en tournant le dos au bar pour faire face au voyageur. Aimeriez-vous que je vous raconte comment j'ai, à moi seul, mis en déroute toute une bande de dangereux brigands sur le route d'Athéia et...

—Vous avez certainement un récit pour moi à ce sujet, le coupa le voyageur en remettant du tabac dans sa pipe. Quand j'ai mentionné les «Nuits», j'ai vu que tout votre corps a tremblé.

Randolf but une autre gorgée.

—Probablement un courant d'air, répondit-il. Rien de plus.

—Je veux mon histoire, gronda le voyageur. J'ai vous ai donné une pièce et je veux entendre le récit des *Nuits de foudre*.

La colère commençait à gagner Randolf. Il se retourna brusquement vers sa table dans l'ombre de la taverne. Alors, il n'y aura pas d'histoire, dit-il. Dans son dos, il entendit le bruit d'une chaise renversée et il sentit une main saisir violemment son bras.

—Si c'est ainsi, vous avez une dette envers moi, le verre que j'ai payé, répliqua le voyageur d'un ton cassant. Ou, dois-je appeler le constable?

Le regard de Randolf ne quittait pas sa table dans le coin de la salle. Je crois que vous devriez retirer votre main de mon bras, dit-il avec calme.

—Sinon, quoi? railla l'homme. Vous allez me faire boire jusqu'à ce que je rencontre ma mort.

La pression de la main de l'homme sur le bras de Randolf s'accentua. Regarde-toi, dit-il avec dédain. Tu n'es plus que l'ombre de toi-même… Mangeur de bâton.

La rage s'empara de Randolf. En entendant le nom méprisant que certains réservaient aux prêtres guerriers Veni-Yan, il sentit monter toute la fureur qu'il pensait bien ne plus être en mesure d'éprouver. D'un geste sec, il libéra son bras et se retourna pour faire face à cet homme qui avait osé l'insulter, lui, ainsi que la foi qui, à une certaine époque, avait déterminé toute la conduite de sa vie.

Quelque chose d'étrange se produisit alors.

taverne n'existait plus, remplacée par un monde ... ... pas revu depuis les tout premiers jours de sa for- ... ... nt qu'il ne perde l'usage de son troisième œil mystique en raison de l'immense tristesse qui l'avait frappé.

C'était le Rêve... mais quelque chose n'allait pas. La dernière fois que son regard s'était porté sur lui, le Rêve était le pays le plus pacifique qu'il ait jamais connu, un monde où régnait un calme et une beauté extrêmes, alors qu'aujourd'hui...

L'obscurité s'était propagée dans tout le pays, une ombre palpable qui pesait sur les branches des arbres et tachait les champs dorés de cette teinte poisseuse et noire. De lourds nuages gris, beaucoup trop près du sol, sillonnaient le ciel habituellement calme, chargés d'une sourde rumeur semblable à celle d'un prédateur se préparant à fondre sur sa proie.

Un million de questions lui traversèrent l'esprit – la première et la plus obsédante étant comment il avait abouti dans ce lieu – mais elles perdirent leur importance quand il vit l'ombre flotter vers lui, accélérant son avance, comme si elle pouvait sentir sa présence.

Pressentant un danger, Randolf se recula lentement, le regard fixe, tandis que des tentacules d'ombre noire émergeaient des ténèbres, serpentant à une vitesse incroyable dans sa direction. La première vrille qui l'atteignit s'enroula étroitement autour de sa cheville et il sentit aussitôt un froid paralysant monter lentement le long de sa jambe. La suivante enserra son bras, tandis qu'une troisième emprisonnait sa taille.

L'ancien guerrier Veni-Yan luttait contre leur emprise, s'efforçant désespérément de se libérer des tentacules d'ombre qui essayaient de soutirer toute la chaleur de son corps. Il réalisa alors qu'il n'avait plus le choix. Il devait se résoudre à combattre.

. . .

Randolf avait froid. Très, très froid. Une part de lui-même aspirait à rester immobile, à laisser l'ombre vivante s'emparer de lui. Mais, il tenta par tous les moyens de plonger la main à l'intérieur de sa tunique, pour y prendre le poignard qui y était caché. Car, une part de lui-même n'était pas encore prête à mourir et, au fond de lui, il savait que sa femme et sa petite fille comprendraient.

Rassemblant toutes ses forces, l'ancien guerrier poussa un cri, sortant de sa gaine ce qu'il croyait être son couteau, il constata que sa main tenait un tout autre objet. Il était certain de tenir un couteau, mais ce qu'il avait dans la main était une arme de lumière, qui luisait comme le métal chauffé à blanc.

De frustration, les ténèbres poussèrent un cri perçant et reculèrent en face de cette mystérieuse nouvelle arme. Randolf tenta frénétiquement de couper les épais liens noirs qui l'enserraient étroitement, son cœur battant violemment tandis qu'il tournoyait afin de faire face aux serpents de l'ombre qui l'assaillaient en ondulant autour de lui. Il ne recula pas. Se portant à la rencontre des ténèbres, il plongea sa dague incandescente profondément dans la chair caoutchouteuse de l'ombre. L'obscurité gémissait de douleur tandis que Randolf retrouvait son âme de guerrier.

–Arrière! tonna-t-il, en balayant de sa dague de lumière la surface lisse couleur d'ébène. Les ténèbres reculèrent et se métamorphosèrent pour former une vague compacte.

Randolf se ramassa sur lui-même, alors qu'elle se portait en avant afin de l'envelopper de son étreinte poisseuse.

Cherchant à le faire sombrer dans les ténèbres.

Le vieux guerrier sauta en arrière et s'écrasa sur la table, renversant plusieurs pichets presque pleins de bière. Il balaya l'air de son arme une dernière fois, et constata que celle-ci ne luisait plus. D'ailleurs, ce ne fut pas le seul changement qu'il remarqua. Déconcerté, Randolf regarda autour de lui. Il était revenu dans la taverne et le désordre le plus complet régnait dans la salle. Des chaises et des tables renversées gisaient dans toute la pièce et les clients effrayés s'étaient réfugiés près du bar.

—Il a perdu la tête, murmura un client que Randolf connaissait sous le nom de Jon Wheelbarrow.

—Trop de bière, voilà ce que je pense, renchérit Thin Williams en hochant la tête.

—Ça lui a ramolli le cerveau, c'est certain.

—Tout ce que je voulais c'était entendre une bonne histoire, marmonna le voyageur. Et, quand je lui ai demandé le récit promis, il a perdu l'esprit.

—Vous ne comprenez rien, commença Randolf, qui fit un pas vers les clients. Mais, tous, ils reculèrent.

—Je ne savais pas… il y a un instant, j'étais dans le Rêve…

—Ça suffit, Randolf Clearmeadow, l'avertit Robert, le barman. Nous ne voulons plus d'ennuis.

—Mais… mais j'étais en train de défendre chèrement ma vie, répondit-il en essayant de se justifier. C'était peine perdue. Les clients se regardaient et la peur se lisait dans leurs yeux. Ils le croyaient fou et, qui sait, peut-être n'avaient-ils pas tout à fait tort.

L'ancien guerrier s'immobilisa, puis il commença à replacer les tables et les chaises.

—Je suis désolé, s'excusait-il. Je ne comprends pas ce qui s'est passé… Laissez-moi vous aider…

—Le voilà! cria soudain une voix.

Randolf reconnu le cultivateur qui pénétra dans la taverne, son nom était Dingus Bringbridge. Le vieil homme à la tête d'un groupe d'hommes fronça les sourcils et pointa un doigt crochu vers Randolf.

—Il représente une menace et il faut l'enfermer, dit le vieux cultivateur, et les autres clients, toujours blottis contre le bar, signifiant leur accord.

Le constable Roarke, un homme de haute taille arborant fièrement une moustache noire bouclée, fut le dernier à pénétrer dans la salle. Ses trois adjoints s'effacèrent pour le laisser passer; il s'avança au milieu de la taverne et brandit son épée.

—Déposez votre arme, gronda le constable à l'intention de Randolf, qui ne réalisait pas qu'il tenait toujours son poignard. Il ouvrit aussitôt la main et laissa tomber le couteau sur le sol avec fracas.

—Je ne voulais faire de mal à personne, protesta l'ancien prêtre Veni-Yan, bien qu'il sentit que cela ne convaincrait pas son auditoire, puisque les adjoints du constable brandissaient eux aussi leur épée.

—Saisissez-vous de lui, ordonna le constable, laissant transparaître un sourire cruel sous sa moustache.

Ensemble, les adjoints dans les yeux desquels miroitait toute l'animosité qu'ils éprouvaient à son égard, s'emparèrent de Randolf.

CHAPITRE 4

L'estomac du rat-garou gargouillait, faisant entendre un bruit ressemblant à s'y méprendre à la chute des pierres sur les pentes montagneuses.

–J'ai faim, gémit-il à son ami le rat-garou.

–Je ne t'entends pas, dit son camarade, en se bouchant les oreilles avec ses longs doigts pointus et griffus. Si je t'écoute, tu vas nous faire avoir des ennuis.

–Mais, tu l'as vu comme moi, n'est-ce pas?

Son ami retira ses mains de ses oreilles.

–Oui, oui, je l'ai vu comme toi, mais ça ne change rien, cela ne nous appartient pas.

–Mais, nous l'avons vu en premier, dit le rat-garou, en se tordant les mains nerveusement. Le roi n'a pas le droit de…

–Le roi Agak a tous les droits, l'interrompit l'autre rat-garou, brandissant son doigt à la face de son ami. C'est justement ce qui fait qu'il est le roi.

Le rat-garou fit une pause, jouant avec la petite cage thoracique d'un animal ayant constitué un précédent repas et reposant sur le sol de la grotte en compagnie d'une multitude d'os de forme et de taille diverses.

−C'est l'écureuil mort le plus appétissant que j'ai jamais vu, dit-il, ses gros yeux bulbeux et sombres au bord des larmes.

N'en croyant pas ses oreilles, son camarade se frappa le front hérissé de poils.

−Mais, le roi Agak a décidé que c'était à lui, il me semble que cela met un point final à toute cette triste histoire, ajouta-t-il d'un ton cassant.

Ignorant son ami, le rat-garou poursuivit.

−Imagine tous les délices et toutes les différentes manières de savourer sa succulente chair en décomposition, dit-il, en laissant un épais filet de bave s'échapper du coin de sa bouche sur la fourrure de sa poitrine.

−Je ne veux pas en entendre parler! beugla son ami le rat-garou.

−Ragoût d'écureuil, écureuil au barbecue, fricassée d'écureuil…

−Je n'entends pas! hurla l'autre encore plus fort. LALALALALA!

−Brochette d'écureuil… Quiche à l'écureuil…

Le compagnon du rat-garou demeura soudainement silencieux et se retourna pour regarder son vorace camarade. Que dis-tu? demanda-t-il, un rictus faisant étrangement tressauter le coin de sa bouche.

−Quiche à l'écureuil.

L'autre resta silencieux, et son doigt griffu et songeur se mit à tapoter ses dents ultra-tranchantes.

– Il nous faut cet écureuil, dit-il enfin.

Le rat-garou hocha vigoureusement la tête. Je suis tout à fait d'accord avec toi.

. . .

Ils étaient aussi silencieux que l'est une souris – les succulentes petites souris qu'ils auraient fait sauter avec plaisir dans leur bouche et dont le jus aurait été un délice, s'il y avait eu des souris dans les environs, bien sûr. Mais, hélas, il n'y avait qu'un écureuil mort et on le leur avait dérobé.

Les deux rats-garous continuèrent d'avancer le long du tunnel qui serpentait à travers un système de cavernes qui constituaient leur véritable foyer. Les montagnes étaient parsemées de ces cavernes et le grand roi Agak avait élu domicile dans la plus spacieuse d'entre elles.

– Nous l'avons bel et bien trouvé avant lui, se plaignit le rat-garou à son ami.

– Silence! siffla l'autre, en mettant une main griffue devant sa large bouche qu'on aurait dit découpée dans une citrouille. Il ne faut pas le réveiller.

Tout le monde savait que le roi Agak aimait beaucoup faire la sieste dans sa caverne et qu'il passait souvent sa journée à ronfler ainsi dans l'obscurité de sa tanière.

Le rat-garou baissa aussitôt la voix. Est-ce mal faire que de reprendre ce qui nous appartient de droit, déclara-t-il en chuchotant.

Son camarade hocha sa tête poilue.

—Pas du tout, mais il ne faut pas se faire prendre… Je ne pense pas que ce serait bon pour notre santé.

Le rat-garou réfléchit un instant.

—Le roi n'est pas reconnu pour sa compassion, n'est-ce pas?

—Il a déjà éprouvé quelques problèmes à maîtriser ses colères, acquiesça l'autre rat-garou.

Ils jetèrent un coup d'œil à travers l'obscurité régnant à l'extrémité du passage, où ils savaient que le roi était en train de sommeiller.

—Tu as peut-être raison; il serait préférable que nous cherchions un autre animal mort, suggéra le rat-garou, réalisant tout l'enjeu de ce qu'ils étaient sur le point d'entreprendre.

—Quoi, et le laisser nous prendre celui-là aussi? Jamais! Allons tirer notre précieux rongeur arpenteur des forêts en décomposition des griffes de l'oppresseur.

Le rat-garou, submergé par les paroles émouvantes de son camarade, commença à applaudir doucement. Oui! Oui, nous pouvons certainement y arriver! dit-il, et sans autre hésitation, il s'engagea fièrement dans le tunnel sombre menant aux appartements du roi, son camarade sur ses talons.

RONRONRONROOON!

RONRONRONROOONROOON!

Soudain, le bruit provenant de la chambre du roi se révéla terrifiant, coupant net la progression du rat-garou. Son complice le heurta violemment et ils faillirent s'affaler sur le sol de terre battue.

–Qu'y a-t-il? demanda le plus vieux des rats-garous dans un souffle de panique. Pourquoi t'es-tu arrêté?

–Écoute, ordonna le rat-garou. Je crois qu'il y a une sorte de bête dans la chambre du roi?

RONRONRONROOON!

RONRONRONROOONROOON!

RONRONRONROOONRONROOON!

Ils se regardèrent, terrifiés et sur le point de s'enfuir afin de se mettre à l'abri.

–Attends, murmura le complice du rat-garou, tendant l'oreille vers les bruits inquiétants.

RONRONRONROOONRONROOON!

Je pense qu'il s'agit du roi, indiqua-t-il. Je crois qu'il ronfle.

Avec précaution, le rat-garou tendit le cou en direction de la chambre du roi et écouta attentivement.

RONRONRONROOONRONROOON!

–Tu as raison, acquiesça-t-il. On pourrait penser que ce serait une bonne idée de voir un médecin pour un tel problème. Je suis d'ailleurs surpris qu'aucun habitant de la montagne ne se soit plaint.

–Laisse tomber. Peux-tu voir l'écureuil?

De nouveau, le rat-garou jeta un coup d'œil au-delà de la courbe du corridor à l'entrée de la caverne rocheuse plongée dans l'obscurité. Il pouvait apercevoir son chef couché au centre de la caverne, plongé dans un profond sommeil et serrant dans ses bras l'écureuil mort, son visage reposant sur le corps en décomposition de l'animal qui lui servait ainsi d'oreiller.

–Je le vois très bien, mais je n'aime pas beaucoup ce que je vois, chuchota le rat-garou.

L'autre se porta sans bruit à sa hauteur et jeta un coup d'œil.

–Ça alors, dit-il d'un ton inquiet. Ça ne va pas être facile.

–Rien n'est facile de nos jours, répliqua le rat-garou en soupirant.

Ils demeurèrent immobiles et silencieux, les oreilles tendues en direction de leur chef qui dormait bruyamment.

–Allons-nous vraiment tenter notre chance? demanda le compagnon du rat-garou.

–Avons-nous le choix? Ne sens-tu pas le délicieux arôme provenant de la décomposition de ce corps qui nous appartient?

–Bien sûr, quand tu présentes la chose de cette manière…, répondit l'autre.

RONRONRONROOONRONROOON! fit le roi, comme s'il les mettait au défi d'agir.

–Bon, comment devrions-nous procéder? demanda le rat-garou à son ami. Est-il possible de simplement s'en emparer en vitesse et de s'enfuir aussitôt?

–Ne risque-t-on pas de le réveiller de cette façon?

RONRONRONROOONRONRONROOOON!

−Qu'en penses-tu? fit le rat-garou. Il me semble qu'il a le sommeil plutôt profond, non?

−Oui, mais, nous ne voulons pas courir ce risque. Je crois qu'il convient d'agir de manière très discrète ici.

−D'accord, dit le rat-garou. Sois discret. Il esquissa un geste en direction de l'endroit où dormait le roi. Je t'attends ici.

−Oh non, rétorqua son camarade. Nous agirons ensemble.

−Alors, explique-moi.

−Avec beaucoup d'adresse, je vais faire en sorte que le roi relâche sa prise sur notre butin, et ce sera à toi ensuite de t'en emparer le plus rapidement possible, lui expliqua l'autre rat-garou.

Le rat-garou réfléchit un moment, puis un large sourire laissant voir sa dentition éclaira son visage velu. Tu sais, je crois que ça pourrait fonctionner. Il invita son ami à agir, afin d'en finir au plus tôt et d'avoir, enfin, en sa possession le précieux écureuil mort.

L'autre rat-garou s'accroupit et se mit à ramper à plat ventre sur le sol de la caverne en direction du roi endormi.

RONRONRONROOONRONRONROOOON !

Lentement et en prenant bien soin de ne pas faire de bruit, l'autre leva la tête, se dressant au-dessus de la forme ronflante. Le roi était étendu sur le ventre, les bras enlaçant l'animal mort, son visage couvrait en partie la carcasse putréfiée de l'écureuil.

– Continue, l'encouragea le rat-garou.

Son camarade porta la main en direction des narines fré-
missantes du roi. Du bout d'une de ses longues griffes, il cha-
touilla le nez de leur maître. Agacé, le roi renifla bruyamment,
son visage repoussant se contorsionnait, mais il ne se réveilla
pas. L'autre tendit la main et taquina de nouveau le nez du
roi. Cette fois, le roi, irrité, commença à se tortiller et une de
ses mains délaissa l'écureuil pour pouvoir se gratter.

– Presque, siffla vivement le rat-garou, sa bouche salivant
d'impatience.

Son compagnon fit une troisième tentative, mais juste au
moment où il allait passer sa patte griffue devant les narines
du roi, leur souverain se redressa en poussant un bruyant
ronflement et en profita pour enrouler ses bras autour du rat-
garou ahuri tout en l'entraînant sur le sol de la caverne.
L'autre voulut pousser un cri, mais la prise du roi était ferme,
et en frottant son effrayant visage sur la douce fourrure couvrant son ventre, il s'enfonça de nouveau dans un profond
sommeil.

Emprisonné dans l'étreinte du roi, l'autre rat-garou implora
l'aide de son ami, mais constata que son attention était
ailleurs. Il avait profité de l'occasion que lui offrait le hasard
pour s'emparer de leur précieux butin et il tenait l'écureuil
mort dans ses mains. Le rat-garou admirait amoureusement le
rongeur en décomposition, oubliant la fâcheuse position
dans laquelle se trouvait son camarade.

– Un peu d'aide serait appréciée, couina doucement l'autre
tandis que le roi rapprochait sa proie de sa face poilue.

Mais, le rat-garou n'écoutait pas, hypnotisé, semblait-il, par la vision de l'écureuil mort.

—Allo, je te rappelle que je suis toujours ici! siffla l'autre, s'efforçant de ne pas attirer l'attention du roi. Le rat-garou ne répondit pas, le regard fixé sur son merveilleux trophée, tandis que deux épais filets de bave gluants s'étiraient aux coins de sa bouche.

C'est alors que l'impensable se produisit.

Le roi le serrant toujours contre lui, l'autre rat-garou, qui n'en croyait pas ses yeux, vit son ami, quelqu'un en qui, normalement, il aurait eu toute confiance, lentement approcher l'écureuil mort… *leur* écureuil mort… de plus en plus près de sa gueule ouverte.

L'autre rat-garou était sans voix. Il allait le faire… son ami… son frère de cœur… allait trahir une longue amitié, et pour quoi? La délicieuse chair en décomposition d'un rongeur des forêts? Donc, juste au moment où son ancien meilleur ami s'apprêtait à engouffrer le corps entier de l'écureuil mort dans sa bouche, l'autre rat-garou poussa un cri de colère, ce qui n'était pas vraiment une chose intelligente à faire.

—Non! Comment peux-tu… oser, braffla-t-il, l'arrêtant net.

Et tirant le roi de son sommeil.

. . .

Ce fut le chaos dans la pièce. Le roi ouvrit brusquement les yeux et laissa échapper un cri perçant, repoussant vivement le rat-garou qu'il enlaçait dans ses bras.

—Que faites-vous ici? lança le roi, en dressant précipitamment son corps trapu et musclé. Il n'était pas aussi grand que

Kingdok, le dernier roi des rats-garous, mais il était certainement doublement effrayant. Et sa bouche renfermait quatre fois plus de dents.

Il fallait que l'autre rat-garou réfléchisse à toute allure ou il courait assurément à sa perte.

— Mille excuses, mon bon roi, dit-il en accompagnant ces mots d'une révérence fébrile. Je faisais une patrouille lorsque j'ai cru entendre des bruits suspects en provenance de la chambre.

— Oui, des bruits suspects! s'exclama le rat-garou demeuré à l'entrée.

Le roi poussa un glapissement et pivota, surpris de voir un deuxième rat-garou dans la chambre royale. Vous étiez *tous les deux* en patrouille? demanda Agak, les lorgnant d'un air soupçonneux.

— Oh, oui, répondit l'autre rat-garou d'un ton désinvolte. C'est ce que nous faisons toujours.

— Nous patrouillons ensemble depuis très longtemps, dit le rat-garou, en agitant les mains, dont une tenait l'écureuil mort.

— J'ai pensé qu'il pouvait s'agir d'un ours, ajouta rapidement l'autre rat-garou, s'efforçant de distraire l'attention du roi et évitant de garder ses mains griffues immobiles.

Le roi se retourna vers lui. Un ours?

— Oui, un ours... un ours qui cherche les ennuis, précisa l'autre rat-garou en hochant furieusement la tête, afin de conserver toute l'attention du roi rivée sur lui. Il a raison. Il y en avait au moins vingt ici. Heureusement que nous étions dans les parages.

– Qui sait ce qui se serait produit si nous ne nous étions pas arrêtés pour jeter un coup d'œil, dit le rat-garou, en agitant l'écureuil mort en direction du roi et en se rapprochant de son ami.

– Bon, nous avons terminé notre tâche ici, déclara l'autre rat-garou d'un ton sec, en agrippant le bras de son camarade et en le tirant en direction de l'entrée de la caverne. Nous allons partir et laisser notre roi dormir maintenant.

Ils reculèrent ensemble vers l'entrée de la caverne et ils étaient sur le point de fuir avec leur butin sacré, quant le roi ouvrit la bouche.

– Où allez-vous avec mon écureuil ?

Les rats-garous se figèrent. Ils se retournèrent lentement en se faisant face et leurs yeux se rencontrèrent.

– Cours ! cria le rat-garou.

– Tout allait si bien, dit son complice tandis qu'ils fuyaient sous les cris d'indignation furieux et menaçants du roi qui les pourchassait dans le passage.

CHAPITRE 5

Le soleil était couché depuis plusieurs heures, mais Tom ne semblait pas prêt à dormir.

– Qu'est-ce que tu fais? demanda Roderick assis sur le rebord de la fenêtre ouverte par laquelle entrait une brise légère et fraîche.

Tom s'était installé à une petite table qu'il avait fabriquée avec quelques morceaux de bois inutilisés qui, autrefois, avaient servi à son père pour réparer le chariot sur lequel ils transportaient les navets en revenant des champs. Il continuait de sculpter une grosse branche que Roderick avait dénichée à leur retour cet après-midi.

– Tu verras quand j'aurai terminé, répondit Tom en se concentrant sur son travail.

– Ne devrais-tu pas être déjà au lit? répliqua le raton laveur. Il se fait tard et tu dois te lever tôt demain matin.

—Je ne suis pas fatigué, répondit Tom en détachant l'extrémité de la pièce de bois et en déposant son couteau. Terminé, ajouta-t-il avec un sourire en admirant le résultat.

—Tu as sculpté une épée? demanda Roderick. Il sauta au bas de la fenêtre et s'approcha du garçon. Bah, tu as déjà fabriqué des tonnes d'épées.

—Il ne s'agit pas seulement d'une épée, précisa Tom en la tenant fièrement par la poignée. Cette épée appartient au capitaine des gardes.

—Au capitaine des gardes? interrogea Roderick, soudain intéressé. Qui est-ce?

—Tom fendit l'air avec sa lame en bois. C'est moi, dit-il.

—Toi? Ne sois pas idiot, tu n'es qu'un petit garçon.

—Oui, pour le moment, rétorqua Tom. Il fit semblant de se fendre et de donner l'estocade à un adversaire imaginaire comme s'il se trouvait au milieu d'un combat. Mais, dans quelques années, je serai Capitaine des gardes et je protégerai la reine Thorn.

—La protéger de quoi?

—Je ne sais pas.

Tom balaya l'air de son épée en direction de ses adversaires invisibles et fit mine d'esquiver leurs attaques destinées à lui trancher la tête.

—De tout ce dont elle aura besoin d'être protégée.

–Si tu deviens capitaine des gardes, puis-je être l'un des gardes? dit Roderick en sautant littéralement d'excitation.

–Je suis désolé, répondit le garçon en hochant la tête. Je ne crois pas que les ratons laveurs soient admis dans le palais des gardes.

–Flûte, dit le raton laveur, en donnant un coup de pied dans une petite motte de terre.

–Mais tu peux m'aider à combattre les forces du mal, dit Tom, en s'élançant à travers la pièce pour atterrir sur le lit.

–D'accord, répondit Roderick en gambadant joyeusement à travers la pièce en direction du lit de son ami. Qui combattons-nous?

–Une bande de rats-garous, affirma Tom avec enthousiasme, en faisant tournoyer son épée en bois avec énergie. Prends ceci, sale rat-garou, cria-t-il. Roderick sauta aussitôt du lit et retourna se percher sur le rebord de la fenêtre.

–Qu'y a-t-il, Roderick? demanda Tom, en interrompant son combat imaginaire. Tu ne veux pas m'aider à vaincre les rat-garous?

Le raton laveur avait le regard rivé au loin dans la nuit. Hum! non, je crois que je vais aller me coucher, dit-il tristement.

Alors, Tom comprit, et il se dit qu'il n'était qu'un idiot. La famille de Roderick, sa mère et son père, avaient été tués par les rats-garous. Tom sauta du lit.

–Je suis désolé, Roderick, dit-il. Je n'ai pas réfléchi... je n'ai pas pensé que ta maman et ton papa ont été...

−Tu n'as pas à t'excuser, répondit Roderick en reniflant. Il essuya ses yeux sombres et se força à sourire. Ça ira, je sais que tu n'avais pas de mauvaises intentions.

Tom se rapprocha et posa la main sur l'épaule de Roderick.

−Les gnomes, dit-il.

−Que veux-tu dire? demanda Roderick, en essuyant son nez avec le dos de sa patte.

−Nous pourrions combattre les gnomes… Qu'en penses-tu?

−Je pense…

−Je crois qu'il est grand temps que ce jeune homme aille au lit sans attendre, affirma une voix forte.

Tom et Roderick regardèrent par-dessus leur épaule et virent que la mère de Tom se tenait, les bras croisés, dans l'embrasure de la porte.

−Mais je ne suis pas fatigué, protesta Tom. En fait, il était exténué après sa longue journée, mais la seule pensée d'aller au lit lui soulevait le cœur. Il ne souhaitait surtout pas que les événements de la nuit dernière se répètent, il ne voulait pas faire de cauchemars.

−Et cela me confirme que tu es trop fatigué pour réfléchir correctement, ajouta sa mère. Elle s'approcha du lit et tira les couvertures.

−Plus de bêtises, dit-elle. Au lit, maintenant.

Tom soupira et, traînant son épée en bois derrière lui, il se dirigea vers le lit. Sa mère lui ébouriffa les cheveux et le laissa se glisser sous les draps.

—Et donne-moi ce bâton, ajouta-t-elle en tendant la main. Tu risques de te blesser.

—Je préférerais le garder, dit Tom, affichant tout à coup un vif désir de protéger sa nouvelle arme.

—Et pourquoi cela, demanda-t-elle, en mettant les mains sur ses hanches.

—Parce que… parce qu'il se peut que j'en aie besoin, répondit Tom, se souvenant de son cauchemar du matin et pensant que, peut-être, *peut-être*, l'épée pourrait l'aider à repousser les cauchemars.

—C'est l'heure de dormir, à quoi un bâton peut-il te servir? demanda sa mère.

—En fait, c'est l'épée du capitaine des gardes, l'informa Roderick en grimpant sur le lit pour rejoindre son ami, mais la mère de Tom n'entendit pas.

—Elle a quelque chose de spécial, lui dit Tom.

—Est-ce vrai? demanda la mère de Tom, en rabattant les couvertures sous le menton de Tom et en l'embrassant sur le front.

—D'accord, mais ne viens pas te plaindre au milieu de la nuit si tu te l'enfonces dans l'œil en dormant, l'avertit-elle.

—Ça n'arrivera pas, promit Tom. Je vais faire attention.

—Elle sourit et souffla la bougie. Bonne nuit, Tom, dit-elle.

—Bonne nuit, maman.

–Bonne nuit, Roderick, ajouta-t-elle depuis l'embrasure de la porte.

–Bonne nuit, m'dam.

Une fois la mère de Tom partie, les deux amis restèrent étendus dans l'obscurité.

–Pas de cauchemars, Tom, souffla Roderick. D'accord?

–Pas de cauchemars, acquiesça Tom, en se retournant et en fermant les yeux. Mais, il serra l'épée spéciale contre lui, au cas où il en aurait besoin.

. . .

Tom ne se souvenait pas avoir sombré dans le sommeil, mais nul doute que c'était ce qui s'était produit, parce qu'il se réveilla dans un lieu qu'il ne reconnaissait pas. Il était toujours dans son lit, au chaud et dans le confort de ses draps, mais il se trouvait aussi dans une forêt, dans la plus belle forêt qu'il ait jamais vue. Roderick sommeillait toujours, enroulé en boule au pied du lit où il ronflait bruyamment.

–Roderick, appela Tom, en tendant la main pour le secouer un peu. Roderick, réveille-toi. Mais le raton laveur demeurait profondément endormi, en dépit des pressions de Tom. Un peu inquiet, Tom tendit la main sous les couvertures et, retirant son épée, il la brandit devant lui en guise de protection.

Contre quoi, il ne le savait pas trop.

La forêt était très dense et les arbres poussaient les uns à côté des autres, leurs épaisses feuilles sombres tamisant une grande partie de la lumière du soleil. Tom n'arrivait pas à savoir s'il faisait jour ou si la nuit perdurait. Avec précaution, il quitta son lit. L'herbe était étrangement chaude sous ses pieds nus, malgré la fraîcheur humide de l'air. Le vent frais bruissait dans les feuilles des arbres autour de lui et l'atmosphère était chargée du parfum des fleurs les plus odorantes.

Tout en faisant ses observations, Tom avait la sensation qu'il s'était déjà trouvé dans ce lieu. Il restait debout à côté de son lit et regardait Roderick.

—Je suis convaincu que tu vas être furieux d'avoir manqué cela, dit-il au raton laveur qui ronflait toujours.

Tout à coup, les poils dans son dos se hérissèrent et Tom comprit qu'il n'était plus seul. Il jeta un coup d'œil autour de lui, l'épée brandie.

—Bonjour, dit une voix féminine.

—Qui est là? demanda Tom. Montrez-vous.

Une forme revêtue d'un long vêtement muni d'un capuchon émergea de l'épaisseur de la forêt. Les arbres et les buissons semblaient s'écarter sur son passage pour lui laisser la voie libre.

—J'ai pensé qu'il fallait que tu voies cela, dit la femme, en levant une de ses mains pour attirer l'attention du garçon. Que tu puisses voir ce qu'il y avait avant le réveil du Nacht.

—Le Nacht? demanda Tom, ce mot lui procurant une étrange sensation quand il roulait sur sa langue et s'échappait de sa bouche.

Soudain, la température s'abaissa brusquement et le vent n'apporta plus le parfum des fleurs. Une odeur amère de pourriture flottait dans l'air.

—Que se passe-t-il? demanda le garçon alarmé.

Un siège de pierre surgit de terre et la forme encapuchonnée s'y assit avec précaution.

—Il ne s'agit pas de ce qui *est*... mais de ce qui *fut*, intervint la femme. Cette forêt n'est plus ce qu'elle était, tout comme moi, malheureusement.

Il faisait de plus en plus sombre tandis qu'une ombre épaisse, poisseuse et liquide semblait s'abattre sous les branches des arbres et s'infiltrer dans un paysage qui autrefois avait été magnifique. Tom serrait son épée contre lui.

—Voilà ce qui advint du Rêve, à la suite de l'éveil du Nacht, ajouta la femme, les traits toujours dissimulés par le capuchon de son vêtement.

—Le Rêve? demanda Tom. Ainsi, tout ceci... n'est qu'un rêve? Il jeta un regard sur son lit et sur la forme endormie de Roderick. Rien ne peut me faire du mal, à moi... ou à mon ami... n'est-ce pas?

Elle demeura silencieuse pendant un instant.

—Si seulement c'était vrai, répondit-elle enfin. Puis, d'une main pâle, elle repoussa son capuchon. Elle était plus jeune que ne l'avait d'abord imaginé Tom. Sa peau délicate et blanche s'apparentait à de la soie fine et ses yeux sombres brillaient comme s'ils étaient remplis de larmes. Elle offrait une beauté étrange, mais quelque chose en elle lui fit penser qu'elle était aussi très triste.

L'obscurité l'enveloppa tout à coup comme une marée et Tom courut vers son lit, s'efforçant de la gagner de vitesse. Mais, il ne fut pas assez rapide et, en quelques secondes seulement, elle était sur lui, suintant le long de son corps, l'emprisonnant, comme s'il était enroulé dans une couverture lui collant à la peau.

Il voulut crier pour se faire entendre de la femme mystérieuse qui restait assise sur le rocher, mais l'ombre était toujours plus épaisse et recouvrait maintenant sa bouche, lui imposant le silence.

— Maintenant, tu vois ce qu'il est advenu de la forêt, dit-elle avec calme, imperturbable face à ces bouleversements. Et ce fut la dernière chose qu'il entendit avant que la masse liquide noire n'engourdisse tous ses sens.

. . .

— Tu ne m'auras pas, gronda Tom tout en se débattant pour libérer ses bras. Enfin, il repoussa les couvertures et s'affala sur le plancher de bois franc de sa chambre.

— Que se passe-t-il? demanda Roderick en se frottant les yeux pour s'arracher définitivement au sommeil.

Tom restait assis sur le plancher, complètement sonné.

Le raton laveur s'accroupit à côté de lui. Ça va, Tom?

— Oui, tout va à la perfection, répondit-il, toujours sous l'emprise de son cauchemar.

Dans la torpeur du matin, il retrouva son chemin jusqu'à sa petite table, alluma enfin la bougie et commença à s'habiller.

— Qu'est-ce que tu fais? l'interrogea Roderick. Il ne fait pas encore jour.

–Je ne veux pas me rendormir, dit le garçon, et c'était la vérité.

Il ne voulait absolument pas courir la chance de retourner dans le Rêve, et de risquer de retrouver cette femme fantomatique et les ténèbres qui l'avaient assailli.

–Alors, que comptes-tu faire? s'informa le raton laveur.

Le garçon haussa les épaules en passant une ceinture autour de sa tunique à la hauteur de sa taille. Je ne sais pas, j'irai peut-être dans les champs un peu plus tôt, pour prendre de l'avance sur les activités de la journée.

–C'est une bonne idée, dit Roderick en tapotant ses joues poilues afin de chasser définitivement le sommeil. J'imagine que ça devrait faire plaisir à ton père.

–Oui, probablement, acquiesça Tom. Il trouva enfin sa lanterne et alluma la mèche. Allons-y, dit-il, en avançant vers la porte. Et fais très attention, il ne faut pas réveiller les autres.

–Hé Tom, chuchota Roderick, qui tenait l'épée de Tom. Crois-tu que nous aurons besoin de ça?

Tom hocha la tête.

–Non, laisse-la ici. Je ne crois pas qu'elle me sera utile pour cueillir des navets.

Ils sortirent de la maison, accompagnés par les ronflements des parents de Tom dans la vapeur obscure qui embaume l'air juste avant le lever du soleil. Durant presque tout le trajet, ils marchèrent en silence, Roderick demeurant le plus près possible de la lumière que lui procurait la lanterne de son ami.

—Alors, que se passait-il dans ton rêve? demanda finalement le raton laveur.

—C'était très effrayant, admit le garçon en traînant les pieds sur le sentier boisé. J'étais dans un endroit qu'on appelle le Rêve, et il y avait une femme très étrange.

—Qui était-elle?

—Je ne sais pas, mais j'ai cru comprendre qu'elle vivait là auparavant, jusqu'à ce qu'un événement survienne… quelque chose qu'on appelle le Nacht.

—Le Nacht, répéta Roderick en chuchotant. Ça, c'est un peu effrayant.

—Non seulement, ça *semble* effrayant, mais *c'est* effrayant, renchérit le garçon. Tu aurais dû voir ça, Roderick. Dans mon rêve, la noirceur envahissait tout.

Le raton laveur fit halte. Mais le Nacht n'est pas réel… n'est-ce pas? glapit-t-il d'une voix nerveuse.

Tom s'apprêtait à lui expliquer que c'était effectivement le cas, mais quelque chose l'arrêta, quelque chose lui disait qu'il mentirait s'il affirmait qu'il n'existait pas.

—Espérons que non, répondit-il finalement.

Il releva sa lanterne pour voir s'ils approchaient du champ de navets. Selon lui, ils auraient dû être déjà arrivés maintenant, mais la forêt semblait bizarrement étrangère tout autour de lui.

—C'est curieux, dit-il.

– Quoi, demanda Roderick. Qu'est-ce qui est curieux? Il se rapprocha vivement du garçon et, caché derrière une des jambes de Tom, il regardait autour de lui.

– Je crois que nous nous sommes peut-être éloignés du sentier, dit Tom qui continuait à éclairer à la ronde afin de retrouver ses repères, quelque chose, n'importe quoi qui soit un peu familier.

– Éloignés du sentier? Comment est-ce possible, nous sommes passés ici des centaines de fois.

– Je le sais, mais je ne reconnais absolument rien, dit le garçon, marchant un peu plus loin simplement pour être certain. Non, je ne sais absolument pas où nous sommes. Peut-être devrions-nous rebrousser chemin quelque peu… Il crut percevoir un mouvement dans la lueur de la lanterne et la leva plus haut.

- Que vois-tu, Tom? demanda Roderick, trottinant afin de se placer à côté de lui.

– J'ai cru voir bouger quelque chose.

Tom fit lentement pivoter la lanterne autour de lui, tandis qu'il sentait que quelque chose était en train d'apparaître en émergeant du sol de la forêt, une forme composée de pierres, de racines, d'écorce et de feuilles. Une créature de la forêt.

– Vois-tu ce que je vois? demanda Roderick en pinçant la jambe de Tom.

Il la voyait effectivement, et une fois la forme complète, elle se mit à parler.

– Bonjour Tom, dit-elle d'une voix ressemblant au bruisse-ment des feuilles dans le vent.

CHAPITRE 6

Percival F. Bone se souvenait.

Il était là cette nuit là, à la réunion spéciale de la Société des explorateurs de Boneville, tout comme son frère et la femme de son frère, les parents des jumeaux.

Cette soirée spéciale au cours de laquelle les cousins Bone, Fone Bone, Phoney Bone et Smiley Bone, parlèrent de leurs aventures dans un lieu mystérieux qu'on appelait la Vallée.

À leur retour, ils étaient devenus les enfants chéris de Boneville, avaient fait des apparitions sur le plateau de tous les débats télévisés et avaient donné des conférences à tous ceux qui étaient prêts à écouter leurs extraordinaires aventures. Smiley avait même écrit le récit de leur expédition qui avait rapidement connu un grand succès auprès du public

Oui, tout le monde avait aimé les cousins Bone et leurs histoires… à l'exception, bien sûr, des membres de la Société des explorateurs de Boneville.

Les cousins s'étaient rendus à la réunion ce soir là afin de convaincre la Société que ce qu'ils avaient vécu dans la Vallée était la vérité. Ils avaient même apporté avec eux ce qui passait pour être un bébé rat-garou.

Quel était son nom, déjà ? se demandait Percival. *Bartleby, peut être ?* Il ne lui semblait pas qu'il s'agissait d'une créature bien féroce, mais plutôt d'un animal qui ressemblait à un chien.

La plupart des anciens aventuriers et explorateurs de la famille Bone présents à cette réunion spéciale avaient trouvé tout cela incroyablement amusant, des histoires de royaumes inconnus et de magie, de dragons et de créatures poilues appelées les rats-garous. La Société pensait que tout cela était un peu tiré par les cheveux et refusa de croire les cousins, même s'ils jurèrent sur leur honneur, ou sur un exemplaire de *Moby Dick,* que tout ce qu'ils disaient était la pure vérité.

Ayant l'impression que les membres de la Société des explorateurs cherchaient à les ridiculiser ce soir là, les cousins Bone avaient quitté la réunion. Mais Percival avait vu le regard de son frère. Norman et Emmy Bone avaient écouté ce récit, et l'enthousiasme qui transparaissait sur leur visage assurait Percival qu'ils y croyaient fermement… et qu'ils avaient les yeux tournés vers de nouvelles aventures.

En quelques jours seulement, les parents des jumeaux étaient prêts. Ils avaient mis sur pied une expédition et s'étaient servis des bribes d'information recueillies dans le compte-rendu des cousins Bone pour définir leur itinéraire.

Percival avait fait tout ce qu'il avait pu pour les convaincre de rester à la maison, mais la flamme brûlant dans leurs yeux s'était avérée trop intense. Percival, plus que toute autre personne, savait qu'un tel feu, une telle soif d'aventure, rien ne pourrait l'entraver.

Norman et Emmy firent leurs adieux, serrèrent la main de Percival, embrassèrent leurs enfants et promirent de revenir avec une preuve de l'existence de la Vallée.

Et on n'entendit plus jamais parler d'eux.

Étendu sur le plancher en bois dur, Percival sentait le roulis de la *Reine des airs*, le majestueux vaisseau faisait entendre des craquements et des gémissements en se balançant d'un côté à l'autre.

Enfin, le calme après la tempête.

—La tempête! s'exclama Percival, ouvrant brusquement les yeux alors que tout lui revenait à l'esprit. Abbey! Barclay! appela-t-il.

Il sauta sur ses pieds et chercha son neveu et sa nièce, mais il ne vit qu'une partie des fournitures et de l'équipement déjà embarqués éparpillée sur le pont du vaisseau.

Son cœur battait à tout rompre et il courut jusqu'au poste de barre.

—Abbey! Barclay! Où êtes-vous? cria-t-il, en jetant un coup d'œil à travers la vitre pour examiner la pièce sombre et vide. Il vit la barre de la *Reine des airs* tourner lentement de gauche à droite, comme si des mains fantômes étaient aux commandes du vaisseau. Mais, il savait qu'aucun esprit n'était à l'œuvre, que le système de pilotage automatique avait simplement été activé tel que programmé pour prendre le relais pendant l'urgence.

À sa sortie du poste de barre, Percival était malade d'inquiétude. Abbey! Barclay! cria-t-il de nouveau.

—S'il te plaît, oncle Percy, pas si fort, gémit Barclay en émergeant d'une caisse demeurée intacte. J'ai tellement mal à la tête.

—Barclay! Percival saisit le garçon sous le bras et le souleva pour l'extraire de sa cachette. Est-ce que ça va? Il le tapotait ici et là afin de s'assurer qu'il n'avait rien de brisé.

—Je vais bien, répondit Barclay, essayant de se libérer de son étreinte. Je crois qu'Abbey m'a donné un coup de pied à la tête lorsque la tempête…

—Abbey, s'étrangla Percival. Où est-elle?

Le garçon regarda autour de lui. Je pensais qu'elle était dans la même caisse que moi, dit-il, perplexe.

—Oh non, Percival arrêta de la chercher sur le pont. Abbey! lança-t-il. Abbey, où es-tu? Il repoussa les morceaux de bois brisés et les autres débris laissés par la tempête, effrayé par ce qu'il allait peut-être trouver.

—Abbey! cria Barclay, les mains placées en porte-voix devant sa bouche. Oncle Percival va vraiment se fâcher s'il croit que tu es morte et qu'il constate ensuite que ce n'est pas vrai.

—Qui dit que je suis morte? lança la voix d'Abbey, qui surgit du poste de barre, les bras chargés de couvertures.

Percival se retourna juste à temps pour voir la porte du poste de barre s'ouvrir et pousser Barclay, ce qui le propulsa sur le pont et en direction du parapet du vaisseau.

L'aventurier de la famille Bone se pencha et réussit à agripper l'arrière du pantalon de Barclay, interrompant sa chute juste au moment où il allait basculer dans le vide.

–Ouf! s'écria le garçon.

Percival jeta un coup d'œil en hissant le garçon sur le pont, il ne pouvait qu'être de son avis. La *Reine des airs* volait au-dessus des nuages à une altitude maximale, la terre défilant loin sous leurs pas.

–Merci, oncle Percy, dit Barclay. Je n'aurais probablement pas atteint le sol avant mardi prochain.

–Non, affirma Percival, souriant et soulagé. Plutôt dans l'après-midi de lundi, vers trois heures, je crois.

Il caressa affectueusement la tête du garçon avant de reporter son attention sur Abbey.

–Abbey Bone, j'étais malade d'inquiétude! dit Percival. Où diable étais-tu passée?

–Je savais que la tempête ne l'avait pas emportée, murmura Barclay. Et, même si cela s'était produit, la tempête l'aurait probablement ramenée ici, elle est tellement désagréable.

–Chut! Barclay, le gronda Percival. Où étais-tu? Tu n'entendais pas quand je t'appelais?

Abbey laissa tomber la pile de couvertures sur le pont. J'étais dans une salle sous le pont, expliqua-t-elle. Quand je me suis réveillée, j'avais très froid, alors j'ai pensé que j'aurais besoin de quelques couvertures.

—Je suis content que tu ailles bien, dit Percival, qui l'étreignit dans ses bras et lui donna un baiser sur la tête. Et tu as raison, il fait très froid.

Chacun prit une couverture et la jeta sur ses épaules.

—Il va falloir remettre de l'ordre, mais il faudrait avant tout faire redescendre un peu la *Reine des airs*. Il ferait peut-être moins froid et nous pourrions voir quelle est notre position.

—Oui, mon capitaine! répliqua Barclay, en saluant son oncle. Puis, il courut jusqu'au poste de barre, traînant sa couverture derrière lui comme s'il s'agissait d'une cape.

—Ne touche à rien! ordonna Percival, en courant à l'intérieur sur les pas du garçon.

—Il vaut mieux qu'il ne touche à rien, avertit Abbey, en les rejoignant. Espérons qu'il ne brisera rien.

—Je ne briserai rien, cria Barclay.

—Bien, mon garçon, dit Percival en prenant place derrière la barre.

Sur un tableau de bord spécial situé à la droite de la barre se trouvaient plusieurs boutons et interrupteurs; il tendit la main pour en actionner quelques-uns. Une cloche résonna trois fois et il sourit.

Le capitaine avait maintenant la maîtrise de la *Reine des airs*.

—Bon, d'accord. Tenant la barre d'une main, il tendit l'autre pour tourner un bouton au-dessus de sa tête. Une fois cette commande tournée vers la droite, le brûleur s'éteignit, laissant refroidir le gaz à l'intérieur des ballons et la *Reine des airs* put amorcer sa descente. Descendons un peu.

Traversant les nuages cotonneux, le vaisseau commença à perdre de l'altitude. Sentant que la température augmentait, Percival se débarrassa de sa couverture.

– Voilà qui est mieux, dit-il avec un sourire.

Les jumeaux firent de même et coururent à la barre pour jeter un coup d'œil aux alentours.

– J'ai très hâte de savoir où la tempête nous a entraînés, dit Abbey, en repoussant son frère et en prenant sa place pour mieux voir. Je parie que nous sommes à plus de cent kilomètres de Boneville.

– Je parie que nous avons parcouru une distance encore plus grande que cela, répliqua Barclay. Je pense que nous sommes à cinq cents kilomètres de Boneville.

Percival, toujours à la barre, se mit à rire en regardant les enfants appuyés au parapet pour observer le paysage défilant sous le grand vaisseau du ciel.

– Alors? interrogea-t-il. Qui a raison?

Étrangement, aucun d'eux ne répondit.

– Hé, les enfants, appela Percival. Mais les deux enfants demeuraient silencieux, ce qui était anormal. Peut-être ne l'avaient-ils pas entendu à cause du vent.

Percival activa le pilotage automatique de la *Reine des airs* et abandonna les commandes.

–Vous n'avez pas entendu? demanda-t-il en se plaçant à côté d'eux. J'ai demandé lequel avait raison? Puis, il regarda en bas de la *Reine des airs* et comprit pourquoi ils étaient demeurés sans voix.

Ils flottaient au-dessus d'un vaste désert et se dirigeaient vers une chaîne de montagnes menaçante. Et, au-delà de ces montagnes, grossissant à vue d'œil, se trouvait une vallée.

–Je pense qu'aucun de nous deux avait raison, murmura Abbey.

–Je crois que nous sommes à bien plus que cinq cents kilomètres de Boneville, souffla ensuite Barclay.

–Où sommes-nous, oncle Percival? demanda Abbey.

La Vallée, pensa-t-il, frappé de stupeur. *La tempête nous a emportés dans la Vallée.*

. . .

Randolf Clearmeadow savait que tout cela n'était qu'un mensonge. Il se tenait debout devant la maison qu'il avait bâtie de ses mains pour sa famille. Construite en grosses pierres qu'il avait tirées du fond du ruisseau situé à côté de sa propriété, le toit se composait de chaume jaune et épais. Il avait utilisé des pierres de plus petite taille pour assembler la cheminée qui en ce moment laissait échapper une fumée odorante dans le ciel crépusculaire.

Ilana est peut-être en train de faire du pain, pensa Randolf avec joie. Comme il s'approchait de la demeure paisible, une forme en émergea, revêtue de la jolie robe bleue que sa maman lui avait cousue. Une couronne de fleurs ornait sa chevelure blonde.

—Corey, dit-il avec douceur, le cœur bondissant dans sa poitrine. Il courut à sa rencontre, mais quoiqu'il fît pour la rattraper, Randolf n'arrivait pas à se rapprocher de la petite fille. Puis, Ilana, sa femme, sortit à son tour de la maison en s'essuyant les mains sur un linge de cuisine. Elle lui sourit quand elle le vit au loin.

Essoufflé et frustré, Randolf poussa un grognement en s'efforçant d'accélérer le pas, désespérant de les rattraper. Ilana prit la main de Corey et elles restèrent debout côte à côte, sans cesser de lui faire signe de la main et de l'appeler, mais il n'arrivait pas à entendre ce qu'elles disaient à cause du bruit croissant du tonnerre qui approchait.

De gros nuages gris remplirent soudainement le ciel. La nuit était tombée maintenant mais, avec les éclairs, on avait plutôt l'impression que le jour allait bientôt se lever au milieu de nappes d'air blanc envahissant l'horizon.

Randolf était plein d'appréhension tandis qu'il comprenait de quelle nuit il s'agissait, et la raison pour laquelle tout cela n'avait rien de réel. Il n'était pas à la maison *cette nuit-là,* la nuit au cours de laquelle la foudre était tombée. Il était sorti pour accomplir son devoir pour le Veni Yan. Abandonnant sa famille. Les laissant à la merci de...

Dans un éclair de lumière, il les vit, immenses et redoutables, leur corps couvert de fourrure épaisse et sale.

Les velus... les rats-garous.

Ils rôdent à la lisière de la forêt se cachant dans l'ombre noire, presque invisibles jusqu'à ce que leur présence soit révélée par un éclair de la tempête qui les avait rejoints.

—Non! cria Randolf, le cœur battant furieusement dans sa poitrine.

Mais ses avertissements furent couverts par un coup de tonnerre retentissant. Sa famille continuait à faire signe de la main joyeusement et la petite Corey soufflait des baisers dans sa direction.

Le ciel nocturne fut illuminé par les grands éclairs dentelés du ciel furieux, révélant la présence des monstres traquant sa famille inconsciente du danger dans la campagne.

—Courez! leur cria-t-il, mais ils continuaient de sourire et de rire, en lui disant adieu.

Randolf s'affaissa sur le sol. Il ferma les yeux, espérant ainsi pouvoir prétendre que tout cela ne s'était jamais produit.

Les rats-garous se déplaçant à une vitesse incroyable, se saisirent d'abord de sa femme, puis de sa merveilleuse petite fille. Une seconde, elles étaient là, heureuses comme jamais et, un instant plus tard, elles n'y étaient plus.

Comme si elles n'avaient jamais existé.

Elles n'eurent même pas l'occasion de crier, alors ce fut Randolf qui cria pour elles.

. . .

Les deux rats-garous couraient sans s'arrêter s'efforçant désespérément de sauver leur vie.

—Vois-tu? demanda le rat-garou, celui que le roi avait tenu prisonnier, tandis qu'ils continuaient à détaler à travers le passage qui serpentait sous la montagne, espérant ainsi distancer le groupe des soldats d'Agak lancés à leurs trousses. Vois-tu tous les ennuis que nous a causés ce stupide écureuil mort?

Le rat-garou en train de courir, mais toujours en possession du trophée, restait silencieux, le bruit des légions loyales au roi – des combattants qui n'auraient jamais osé s'emparer de la nourriture de leur souverain – bourdonnant et grondant furieusement dans leur dos. Il tenait toujours son précieux butin. Après toutes les épreuves qu'il avait traversées pour le reprendre, il ne voulait pas le perdre.

– Ne t'en prends pas à mon écureuil, répliqua sèchement le rat-garou après un court moment de silence. Ce n'est pas sa faute s'il est le rongeur des forêts mort le plus appétissant de toute la région. Il tint la carcasse putride devant son visage. N'est-ce pas, Frédéric?

– Frédéric? lança son camarade. Pourquoi l'appelles-tu Frédéric?

– J'ai pensé que ce serait bien qu'il ait un nom.

– Même NOUS n'avons pas de nom, brailla l'autre rat-garou.

– C'est uniquement parce que personne ne nous considère comme spéciaux, répondit le rat-garou, d'une voix faible et triste.

La lumière du jour apparut dans l'ouverture de la caverne.

– Quand nous ne serons plus poursuivis par les larbins du roi … commença le compagnon du rat-garou.

– Oui?

– Rappelle-moi de t'écrabouiller la tête avec une pierre, d'accord.

– Je pense que ce n'est pas gentil du tout, commenta le rat-garou alors qu'ils s'échappaient dans la lumière du jour. Et c'est aussi ce que pense Frédéric.

CHAPITRE 7

Tom pensa qu'il aurait dû apporter son épée.

Il savait très bien qu'il ne s'agissait que d'un bâton, mais il aurait eu, au moins, quelque chose pour se protéger contre l'étrange créature qui venait de prendre forme devant lui.

– Elle connaît ton nom, Tom, souffla Roderick en se cachant derrière son ami. Comment peut-elle savoir ton nom?

– Je… je ne… je n'en sais rien, bégaya Tom, incapable de quitter la forme qui se tenait devant lui des yeux.

– Te souviens-tu de moi, Tom? demanda la voix féminine.

– Je… Est-ce que je… vous connais? bégaya Tom.

– Nous nous sommes rencontrés brièvement, dit la femme-forêt. Elle étira un bras fait de racines et de tiges tressées et agita les racines qui lui servaient de doigts. Mais, j'imagine que mon apparence était un peu différente.

Elle fit un geste de la main en direction du sol derrière elle et fit apparaître un siège en pierre.

–Vous êtes la dame qui était triste dans mon rêve! dit Tom en haletant, se souvenant brusquement. C'est elle, je t'ai parlé d'elle, tu te souviens, Roderick.

–Je pense qu'elle est plus effrayante que triste, commenta le raton laveur dissimulé entre les jambes du garçon.

La femme-forêt se courba lentement pour s'asseoir sur son siège de pierre. Je suis désolée que mon apparence vous effraie, dit-elle. Mais, il y avait déjà un bon moment que je n'avais pas pris la forme que tu as vue dans ta vision.

–Vision, demanda Roderick. Tu as eu une vision, Tom?

–Je crois qu'elle parle de ce qu'elle m'a montré dans mon rêve, expliqua-t-il. N'est-ce pas? lui demanda-t-il.

–C'est exact, Tom, répondit-elle en hochant la tête et en faisant frémir les feuilles lui servant de cheveux. J'ai utilisé ton rêve pour te montrer quelque chose de grave et d'important… une chose qui pourrait avoir des répercussions sur la vie de tous les habitants de la Vallée. Elle fit une pause, ses yeux sombres et ronds examinant les alentours. Et, peut-être, sur le monde entier.

–Pourquoi moi? demanda Tom. Pourquoi me montrez-vous toutes ces choses à moi? Je ne suis qu'un enfant.

–Mais, tu es un enfant spécial, lui répondit la femme-forêt, pointant un long doigt noueux en bois sur lui. Un coléoptère rampait au bout, ses ailes frémirent avant qu'il prenne son envol.

—Est-ce que tu entends cela, Tom? demanda Roderick. Elle dit que tu es spécial.

Tom avait entendu, mais il ne comprenait toujours pas.

—Qui êtes-vous? demanda-t-il. Vous êtes ?...

—Excuse mon manque de délicatesse, dit-elle, en se levant. Elle mit une main sur sa poitrine et inclina sa tête feuillue. Je m'appelle Lorimar des Premiers peuples de la terre, affirma-t-elle. Et la dernière, représentante de mon peuple, je le crains.

—Les Premiers peuples de la terre? demanda Tom. Je n'ai jamais entendu parler d'eux. Qui êtes-vous?

—Nous sommes des créatures du Rêve et nous vivions en parfaite harmonie avec le monde des esprits jusqu'à ce que le Seigneur des criquets décide d'accéder au royaume des humains. Il prit possession du premier dragon... notre chère reine Mim.

Lorimar fit une pause avant de poursuivre.

—La reine fut frappée de folie. L'équilibre du Rêve fut alors rompu et le chaos s'installa. Les Premiers peuples de la terre essayèrent de lui prêter main forte, mais leurs pouvoirs étaient insuffisants pour arracher la reine à la domination des criquets. La plupart d'entre nous furent détruits. Notre sort était entre les mains des dragons.

—C'est ainsi que la Vallée vit le jour, n'est-ce pas? intervint Roderick. Il y eut une grande bataille et tout cela.

Lorimar releva la tête, plongeant son regard dans celui du raton laveur comme si elle remarquait sa présence pour la première fois. Oui, c'est exact, petite créature de la forêt, dit-elle. À qui ai-je l'honneur? Comment t'appelles-tu?

—Son nom est Roderick, dit Tom. C'est mon ami.

—Bonjour, ami Roderick. La femme s'inclina devant lui et poursuivit son récit. Pendant que les dragons continuaient d'affronter la reine possédée, leurs combats donnèrent forme à leur terre. Éventuellement, les dragons vainquirent la reine, la capturèrent et l'emprisonnèrent – ainsi que le Seigneur des criquets – dans la pierre pour l'éternité.

—Qu'arriva-t-il au Rêve? Est-ce que tout s'était bien passé? demanda Tom.

—Si seulement c'était vrai, s'indigna Lorimar en soupirant. Mais le chaos continua à régner dans le Rêve. Les survivants des Premiers peuples de la terre firent tout ce qui était en leur pouvoir pour que tout rentre dans l'ordre, mais c'était compliqué sans la présence de... l'un des serviteurs du Seigneur des criquets... un dragon, qui s'était soulevé et avait pris les armes contre ses frères. On l'appelait le Nacht.

En entendant prononcer ce nom, Tom eut l'impression qu'un doigt glacé courait le long de sa colonne vertébrale.

—Avant que ses frères et ses sœurs dragons puissent le vaincre, il prit sa revanche sur les Premiers peuples de la terre. Il frappa en dépit du nombre réduit des représentants de mon peuple, massacrant les quelques survivants.

—Mais, vous n'avez pas tous été anéantis... vous vous êtes échappée, intervint Tom, captivé par ce récit terrifiant.

—J'ai réussi à me réfugier dans le monde de l'Éveil, où j'espérais pouvoir avertir les autres dragons de la traîtrise du Nacht, mais j'arrivais trop tard. La reine et le Seigneur des criquets, dont elle était possédée, avaient déjà été emprisonnés dans la pierre et les dragons étaient revenus sur la terre.

—Que s'est-il passé ensuite? demanda Roderick.

—J'étais très affaiblie par mon voyage, j'ai donc laissé mon esprit se fondre dans ce nouvel environnement afin de pouvoir me reposer et reprendre des forces, et un jour...

Lorimar demeura immobile et silencieuse.

—Vous n'avez jamais pu retourner, n'est-ce pas? s'enquit Tom, devinant pourquoi la femme-forêt était si triste.

Elle hocha la tête, faisant de nouveau frémir les longues feuilles vertes lui servant de cheveux.

—Pendant longtemps, j'ai dormi, dit-elle. Je me suis perdue au sein des éléments de la forêt, et c'est ce que j'aurais continué de faire si un événement n'était venu perturber mon paisible sommeil, une chose terrible.

Roderick était surexcité.

—Je parie qu'elle veut parler du combat pour la Vallée, quand le Seigneur des criquets a tenté un retour.

—Juste avant le couronnement de Thorn, ajouta Tom, ressentant une grande fierté tandis qu'il prononçait le nom de la reine.

—Tu as raison, répondit Lorimar. Mais, même à la suite de la nouvelle défaite des criquets et après que la paix soit revenue dans la Vallée… quelque chose de tout aussi dangereux se préparait.

Tom savait très bien où tout cela les conduirait.

—Le Nacht est revenu, n'est-ce pas? dit Tom, s'efforçant de ne pas laisser transparaître sa peur. Il ne voulait pas effrayer Roderick.

—Je croyais qu'il s'était enfui, poursuivit Lorimar. Qu'il s'était retranché dans le dangereux vide qui se situe entre le Rêve et le monde de l'Éveil, mais il est revenu. Sentant que son maître venait d'essuyer une deuxième défaite, le Nacht décida de frapper autant dans le Rêve que dans le monde de l'Éveil.

Lorimar reporta toute son attention sur Tom, ses petits yeux de pierre brillant d'un reflet humide.

Et, soudain, Tom eut très peur.

—Pourquoi me regardez-vous ainsi? demanda Tom, craignant d'entendre ce que la femme allait dire.

—Le Rêve t'a choisi pour être son envoyé contre le Nacht, dit Lorimar.

Tom secoua furieusement la tête. Désolé, mais vous devez faire erreur. Je ne suis que le fils d'un cultivateur de navets… Dis-lui toi, Roderick.

—Oui, euh! Il n'est que le fils d'un cultivateur de navets, acquiesça le raton laveur, en hochant la tête.

—Fils de cultivateur de navets ou non, tu as été choisi, dit Lorimar, en se levant de son siège de pierre et en volant dans sa direction.

—Pourquoi dites-vous cela? demanda Tom, en faisant un pas en arrière. Comment le savez-vous?

Lorimar s'immobilisa et pointa un doigt vers lui. L'objet que tu portes à ton cou, siffla-t-elle. Tom porta la main à sa pierre chanceuse.

—Ceci? demanda-t-il, mais ce n'est qu'une pierre chanceuse.

—Oh, c'est bien davantage que cela, dit Lorimar.

Elle avança la main et un de ses longs doigts feuillus effleura délicatement la surface rugueuse de la mystérieuse pierre noire. Aussitôt, l'enveloppe extérieure se désintégra et la pierre se mit à briller, comme si elle renfermait un feu intérieur.

—Hé! qu'avez-vous fait? demanda Tom, les yeux rivés sur la lueur. Tout à coup, son rêve lui revint en mémoire, ainsi que la vive lumière émise par sa pierre.

—Je n'ai fait que gratter avec mon doigt pour retirer l'obscurité qui s'était accumulée sur ce fragment de Spark, expliqua Lorimar.

—Regarde, dit Roderick, admiratif, la pierre, tellement brillante et jolie. Le raton laveur tendit la main en direction de la pierre.

Tom donna une tape sur la patte de son ami et reporta toute son attention sur Lorimar. Ainsi, simplement parce que je suis en possession de la pierre... du Spark, … qu'importe son nom, j'ai été choisi?

—Exactement, répondit Lorimar en joignant les mains devant elle. Je savais que tu comprendrais.

−Non, Tom secouait la tête. Non, je ne comprends pas.

−Le Spark t'a trouvé, indiqua Lorimar. Il t'a choisi *toi* pour que les choses soient achevées, et une fois que cela sera fait…

−J'ignore de quoi il s'agit et je ne veux pas le savoir! tempêta Tom en arrachant la pierre de son cou et en la jetant par terre.

Roderick s'avança aussitôt pour la saisir, attiré par la lueur blanche qui s'en échappait là où l'enveloppe s'était déchirée sur la pierre.

−N'y touche pas, Roderick, l'avertit Tom. Il saisit son petit ami et le tira en arrière. C'est dangereux.

−Non, dit doucement Lorimar. C'est quelque chose de bon et de très puissant. C'est un objet qui t'aidera à vaincre le Nacht.

La femme-forêt se pencha pour prendre la pierre de Tom.

Avant le Rêve, il n'y avait que les ténèbres, dit-elle, en ramassant le collier et en le laissant pendre devant elle, puis, après un certain temps, vint la plus merveilleuse des lumières. Elle repoussa l'obscurité du néant et c'est ainsi qu'est né le Rêve, dans un éclair de lumière. La lumière qui s'échappait de la roche noire dansait sur son visage couvert de mousse.

−Il ne s'agit que d'un petit fragment de cette lumière spéciale… un morceau de la première étincelle qui a réussi à repousser les ténèbres.

−Wow, dit Roderick, les yeux remplis d'émerveillement. Je n'arrive pas à croire que tu aies trouvé tout cela à l'intérieur d'un navet. Tu es teeeeeeellemeent chanceux, Tom.

Mais, Tom n'avait pas l'impression d'être chanceux. Il sentait que quelque chose n'allait pas. Une partie de lui-même voulait tendre le bras et prendre la pierre, le *Spark*, des mains de Lorimar, mais une autre ne pensait qu'à s'enfuir le plus loin possible.

Il avait aussi l'impression que la forêt l'enveloppait un peu plus étroitement, que l'obscurité se rapprochait. Voilà comment il imaginait sa vie s'il acceptait de porter de nouveau le collier et la pierre. Sa vie serait entièrement habitée par la peur, l'ombre et les ténèbres.

Lorimar lui tendit le Spark.

– Prends-le, Tom, dit-elle, d'une voix semblable à la douce brise de l'été. Reprends-le, parce qu'il t'a choisi pour réaliser son destin.

Le cœur de Tom battait furieusement dans sa poitrine, alors qu'il se reculait lentement. Je ne le veux pas.

Et, soudain, la peur devint intolérable et il se mit à courir... tellement qu'il n'attendit même pas Roderick.

Tom entendait son ami l'appeler, mais il ne pouvait pas ralentir. Il n'avait aucune idée où ses pas le mèneraient, tout ce qu'il savait c'était qu'il fallait qu'il mette le plus de distance possible entre le Spark et lui.

Les branches des arbres se courbaient en lui effleurant le visage et s'accrochaient à ses vêtements. Puis, son pied se prit dans une très vieille racine et Tom s'affaissa sur le sol de la forêt. Il tenta de se relever, mais, dans l'état de panique où il se trouvait, il n'arrivait plus à se mettre debout.

C'est alors qu'il sentit un mouvement dans sa direction.

Quelque chose écrasait et broyait les feuilles et les branches des arbustes en se déplaçant rapidement à travers les bois. Cette chose venait vers lui et, incapable de bouger, il était forcé d'attendre. Il retint son souffle et...

Roderick émergea de la forêt.

— Pourquoi te sauves-tu ainsi? demanda le raton laveur à bout de souffle.

Les yeux de Tom fouillaient les alentours, à gauche et à droite.

— Peur, ce fut tout ce qu'il parvint à dire à travers ses dents qui claquaient.

Avec précaution, Roderick fit un pas en avant et prit la main de son ami.

— Ça va aller, Tom, dit-il. Lorimar ne te pourchasse pas. Tu n'as aucune raison d'avoir peur. Je suis ici avec toi... je te protégerai. Pourquoi ne pas retourner à la maison pour en parler avec ta famille...

Tom cligna des yeux et regarda autour de lui, tandis que les paroles du raton laveur commençaient à se frayer un chemin jusqu'à son esprit. La maison? demanda-t-il.

Roderick le tira par la main, l'entraînant en avant dans la clairière.

— Oui, la maison, nous y sommes presque.

Ce qui, un moment plus tôt, paraissait totalement étranger était maintenant merveilleusement familier. Tom sortit de la forêt et réalisa que le soleil s'était élevé dans le ciel, chassant les ombres effrayantes. Il était chez lui.

–Maman! papa! appela-t-il, en se mettant à courir.

Il voulait tout leur raconter, son rêve étrange, la pierre chanceuse qui n'était pas vraiment une pierre – et, en y repensant, il se mit à douter qu'elle fut réellement chanceuse – et la mystérieuse femme composée d'éléments de la forêt.

Il ouvrit la porte et, immédiatement, il fut frappé par le silence complet qui régnait dans la maison.

–Maman? Papa? appela Tom. Lottie?

–Ils sont peut-être déjà partis pour les champs, suggéra Roderick, trottinant derrière lui.

–Non, répondit Tom. Le chariot est encore à côté de la maison.

Il alla jusqu'à la chambre de ses parents et frappa à la porte avec son doigt. Maman? Papa? Êtes-vous là? demanda-t-il en poussant la porte.

Ses parents étaient encore dans leur lit, profondément endormis, la respiration bruyante de son père sifflant comme les soufflets utilisés pour attiser le feu dans l'âtre.

Tom étira la main et les secoua à plusieurs reprises. C'est l'heure de se lever, disait-il, en haussant la voix. Allez, réveillez-vous, vous allez être en retard dans les champs. Si quelque chose pouvait tirer ses parents de leur sommeil, il était convaincu que l'évocation des champs de navets y parviendrait.

Mais, ils dormaient toujours.

—Sont-ils levés, s'enquit Roderick depuis l'embrasure de la porte où il se tenait.

—Non, répondit Tom. Je n'arrive pas à les réveiller.

Le raton laveur disparut et Tom pensa qu'il s'était rendu dans la chambre de Lottie.

—Maman, Papa, réveillez-vous! cria-t-il à pleins poumons, en les secouant violemment.

La bouche de son père s'ouvrit plus grand, tandis qu'il continuait de ronfler, et c'est alors que Tom remarqua quelque chose du coin de l'œil. Cette chose se déplaçait rapidement, sortant en serpentant de la bouche ouverte de son père, avant de disparaître de nouveau à l'intérieur.

Une ombre. Une ombre qui se déplaçait comme si elle était vivante.

Tom n'en croyait pas ses yeux et il sauta en bas du lit.

—Je n'arrive pas à réveiller Lottie, non plus, dit Roderick, en surgissant brusquement dans la chambre. Je lui ai pincé le nez et tout. Qu'allons-nous faire?

La peur s'était réinstallée, par contre, cette fois, Tom savait de quoi il avait peur.

Le Nacht.

—Tom Elm! cria une voix, faisant sursauter les amis.

—Ça venait de dehors, dit Roderick, en se jetant à quatre pattes par terre et en se mettant à courir à la porte avant, suivi de près par Tom.

La porte était toujours légèrement entrebâillée, et Tom pouvait voir une lumière vacillante étrangement familière pénétrer lentement à l'intérieur. Il retint son souffle, tandis qu'il tirait la poignée.

Lorimar se tenait devant lui et la lumière s'échappait du morceau de Spark qui pendait à ses doigts semblables à de petites branches.

—Il y a quelque chose qui cloche chez mes parents, lança Tom.

—Les pouvoirs du Nacht se sont accrus ici; il a étendu son emprise diabolique au-delà du Rêve, jusque dans le monde de l'Éveil.

—Est-ce que vous pouvez les aider? demanda-t-il d'un ton plaintif, faisant d'immenses efforts pour ne pas pleurer.

—Je ne peux pas, dit Lorimar, mais toi, tu le peux.

—J'ai… j'ai peur, répondit-il à la femme-forêt. Il ne pouvait l'expliquer, mais il sentait une peur paralysante qui s'était emparée de tout son corps.

—C'est parce que tu ressens la présence du Nacht, ajouta Lorimar laissant le fragment de Spark se balancer de manière hypnotique dans sa main. Le Nacht a pris possession de tes peurs et les utilise contre toi.

—Je ne sais pas quoi faire, dit Tom, et sa voix se brisa de désespoir en pensant au sort de sa famille.

—Reprends le Spark, dit Lorimar. Et sers-toi de sa lumière pour repousser les ténèbres.

–Si je le prends, aidera-t-il mes parents et ma sœur? demanda-t-il, terrifié par les conséquences de la réponse à sa question.

–Prends-le et tu verras bien, le pressa la femme-forêt. Mais, décide-toi vite.

Elle retourna sa tête feuillue en direction de la lisière de la forêt entourant la propriété de la famille Elm. On pouvait sentir plusieurs présences se déplacer dans l'ombre, puis émerger dans la lumière du matin.

Des choses qui ne devraient pas bouger.

Il s'agissait d'animaux mais, pas de n'importe quels animaux. Ceux-là étaient morts. Leur fourrure avait perdu tout éclat et, dans certains cas, une partie manquait, en raison de la décomposition, laissant voir des muscles secs et des os jaunes. Mais, ceux-ci se déplaçaient en rampant rapidement dans leur direction.

–Vois-tu ce que je vois? glapit Roderick.

–Oui, répondit Tom, les yeux écarquillés et frappés de dégoût.

–Ils sont… tous ces animaux sont morts, n'est-ce pas? ajouta son ami raton.

–C'est vraiment l'impression qu'ils donnent, répondit Tom.

–Alors, pourquoi bougent-ils.

Il allait répondre quand il la vit, surgissant de la bouche d'un lapin mort pour glisser dans un trou obscur juste à côté de lui. Une ombre vivante, tout comme ce que Tom avait aperçu dans la bouche de son père.

Et, comme si les choses n'allaient pas déjà assez mal, le lapin se mit à parler.

—Ne te charge pas de cette quête, disait-il d'une voix qui donnait la chair de poule à Tom et dressait les cheveux sur la tête.

—Tu n'es qu'un petit garçon, ajouta un défunt opossum, les orbites de ses yeux remplis d'une noirceur grouillante. Qui sait toutes les choses horribles qui pourraient t'arriver.

Lorimar se tourna vers les animaux rampants et laissa la lumière du Spark poser ses rayons sur eux. Ils cessèrent abruptement et voilèrent leur visage putréfié.

—Ôtez ça! hurla le lapin.

—Arrière, retourne d'où tu viens, à la terre froide et sombre, ajouta un oiseau dont les ailes, ayant perdu la plupart de leurs plumes, ne laissaient plus voir que les os.

Lorimar jeta un coup d'œil à Tom par-dessus son épaule.

—Vois-tu le pouvoir du Spark maintenant, Tom? demanda-t-elle. Si tu pouvais retrouver tous ses fragments, il serait possible de bannir le Nacht de ce monde de façon permanente, et même du Rêve.

Tom voyait, mais cela ne changeait rien au fait qu'il n'était qu'un enfant. Que pouvait faire un petit garçon comme lui contre quelque chose d'aussi effrayant, d'aussi puissant que le Nacht?

—Quelqu'un d'autre peut-il s'en charger? demanda-t-il. Roderick peut-être?

—Il n'est pas question que je m'en charge! s'exclama le raton laveur.

Les animaux morts se mirent à rire.

—Tu as raison, mon garçon, croassa une forme évoquant ce qui autrefois aurait pu être un cerf. Pour quelle raison voudrais-tu faire cela? Ça ne peut que t'apporter des ennuis.

Tom avait compris ce qu'ils essayaient de faire. Si ce que Lorimar lui avait dit était vrai, le Spark l'avait choisi, lui, et lui seulement. S'il ne prenait pas la pierre, le Nacht aurait gagné, et sa famille ne se réveillerait jamais.

—Donnez-le-moi! dit-il dans un sursaut, avant qu'il ne puisse changer d'avis.

—Ne fais pas ça, mon garçon, l'avertit un porc-épic dont la tête ne laissait plus voir qu'un crâne dégarni.

—Si tu sais reconnaître ce qui est bon pour toi, intervint une marmotte qui semblait n'avoir rejoint le monde des morts que récemment.

Les animaux firent un pas en avant, malgré la lumière, comme s'ils sentaient que leurs tentatives pour l'influencer s'avéraient vaines.

—Est-ce cela que tu veux? demanda Lorimar, pointant toujours la lueur du Spark vers les animaux morts et avançant dans leur direction.

Tom hocha la tête.

—Pas du tout, mais je n'ai pas le choix, dit-il. Si ce n'est pas moi qui s'en charge, ma famille va en souffrir.

—C'est la déclaration la plus courageuse que j'ai jamais entendue, dit Roderick, en étreignant vivement la jambe de Tom.

—Ou la plus stupide, répliqua le garçon.

Tom fit un pas vers la femme-forêt et tendit la main.

—Je vais me charger de cela, dit-il.

—Ne fais pas ça, Tom Elm! crièrent en chœur tous les animaux en décomposition.

Mais Tom ne les écoutait plus. Lentement, il approcha la main et enveloppa la pierre de sa main, la lumière s'intensifia tandis que ses doigts se refermaient sur elle.

Soudain, il y eut un éclair tellement brillant qu'on aurait dit que le soleil venait d'apparaître devant la cour.

CHAPITRE 8

La *Reine des airs* flottait au-dessus de la forêt luxuriante de la Vallée. Durant toute la nuit, ils avaient poursuivi leur exploration mais, maintenant, un soleil matinal ardent se levait à l'horizon.

Percival étouffa un bâillement en observant le rayon du projecteur du vaisseau du ciel sur la cime des arbres.

–Il me semble qu'il faudrait deux autres pommes de terre, Barclay, lança-t-il à son neveu, remarquant que la lueur de la lampe faiblissait.

Il ouvrit un volet sur le côté du projecteur afin de jeter un coup d'œil à l'intérieur du mécanisme. Les deux pommes de terre, rattachées à de multiples fils de cuivre jumelés à la mécanique, n'étaient plus toute fraîches.

Ne percevant aucun mouvement derrière lui, Percival fit volte-face et vit son neveu enveloppé d'une couverture, blotti contre sa sœur, tous deux profondément endormis.

Il sourit. *Ils sont vraiment mignons*, pensa-t-il, en refermant le boîtier du projecteur. Il faudrait qu'il s'occupe de trouver de nouvelles pommes de terre plus tard. Pour le moment, la lumière de l'aube l'aiderait à voir clair.

L'aventurier en lui avait du mal à se maîtriser. Dirigeant son regard au loin, Percival essayait d'imaginer toutes les sensations inconnues et les multiples dangers qui l'attendaient au-dessous. Il avait très hâte de poser la *Reine des airs* et d'explorer la Vallée.

Derrière lui, Abbey murmura quelque chose au sujet des bleuets et Barclay laissa échapper un ronflement sonore qui rappela à Percival la raison pour laquelle il lui fallait maintenant passer à l'action. Il avait des responsabilités maintenant. S'il lui arrivait quelque chose, qui pourrait prendre soin des jumeaux?

Non, il faillait qu'il reprenne le dessus et qu'il se décide à faire face à toutes ses responsabilités.

Il prit deux ou trois respirations et reporta son regard au-dessus de la cime des arbres. *Je peux y arriver*, pensa-t-il, afin de montrer à l'enthousiasme qu'il sentait monter en lui qui était le vrai patron. Il prendrait son temps. D'ailleurs, il disposait de tout le temps nécessaire...

Un éclair de lumière aveuglante perça dans la forêt au-dessous. Tout à coup, une multitude de points colorés semblaient danser le tango devant ses yeux.

—Là-bas, la lumière! cria de toutes ses forces un Percival qui s'était déjà mis en mouvement. Il entra en trombe dans le poste de barre et actionna la valve de purge afin d'amorcer la descente de la *Reine des airs* vers le point où il avait aperçu l'éclair de lumière.

Il ne pouvait résister à la tentation. Ce n'était pas simplement l'appel de l'aventure, c'était un grand cri. Les mots résonnaient dans ses oreilles, *Viens ici tout de suite, Percival F. Bone, si tu veux vivre ta part d'aventure.*

–Qu'y a-t-il, oncle Percy? demanda Abbey, s'éveillant en sursaut. Elle repoussa la couverture et courut regarder en bas de la *Reine des airs*.

–Est-ce que c'est l'heure d'aller à l'école, souffla Barclay comme dans un rêve. Il fit un petit bruit sec avec ses gencives, promena son regard endormi autour de lui et chercha à s'orienter.

–C'est un peu ça, dit Percival, tandis que le vaisseau s'approchait du sol. Bienvenue, voici ton premier jour à l'école de l'aventure.

. . .

Les rats-garous s'étaient cachés derrière des buissons quand l'éclair de lumière survint.

–Ne t'en fait pas, Frédéric, dit le rat-garou, en caressant la fourrure mate de l'écureuil mort.

–As-tu vu ça? demanda l'autre rat-garou, en relevant sa tête poilue pour regarder par-dessus les bois environnants. As-tu vu l'éclair?

–Non, répondit le rat-garou. Frédéric et moi étions justement en train de...

—La ferme, avec Frédéric, le coupa sèchement l'autre rat-garou. Ce n'est qu'un écureuil mort après tout, il ne s'agit pas de ton meilleur ami.

—Je ne sais pas ce qui t'arrive, poursuivit le rat-garou, en serrant un peu plus fort l'animal mort contre la fourrure recouvrant sa poitrine. Qu'est-ce que Frédéric t'a fait?

—Qu'est-ce que Frédéric m'a fait? glapit l'autre. Il nous a mis dans le pétrin face au roi… il nous a créé des ennuis qui pourraient bien entraîner notre propre perte. Voilà ce que Frédéric m'a fait.

—Je crois que tu es jaloux, lâcha le rat-garou. Tu vois combien Freddy et moi sommes devenu-amis en si peu de temps et…

—Freddy? demanda l'Autre rat-garou sceptique.

—N'est-ce pas que c'est joli? demanda le rat-garou, un sourire niais s'élargissant d'une oreille à l'autre. Il adore que je l'appelle de cette façon.

—Je crois que je préfère ne plus en parler, dit l'autre rat-garou, et il commença à ramper hors de leur cachette parmi les arbustes.

—Où vas-tu? demanda son ami. Les soldats du roi pourraient te voir.

—Je voulais vérifier ce qui a causé l'éclair, répondit l'autre. Qui sait, peut-être que les serviteurs du roi ont été frappés par la foudre, et que nous n'avons plus à nous inquiéter.

—Mais… si tu te trompes?

L'autre rat-garou demeura silencieux, la moitié du corps déjà hors de sa cachette.

—Alors, j'imagine que toi et Frédéric serez très heureux ensemble, dit-il, en quittant son refuge et en laissant son camarade derrière lui.

—Je savais que tu étais jaloux! grinça le rat-garou en se précipitant pour le suivre, abritant toujours l'écureuil mort dans sa patte poilue.

. . .

Randolf luttait pour s'arracher à l'étreinte de son cauchemar.

Il nageait dans un goudron épais et noir, le liquide visqueux cherchant par tous les moyens à l'étouffer. Bien qu'il se sente inutile depuis la perte de sa famille, il n'allait pas s'abandonner à la défaite. Et c'est ainsi qu'il trouva la force nécessaire pour échapper à son cauchemar oppressant.

Le guerrier Veni-Yan s'éveilla en sursaut.

Après l'incident à la taverne, on l'avait mis dans une cellule dans les quartiers du constable. À genoux sur le sol en pierres froides, il fut pris d'une quinte de toux et se mit à cracher comme s'il était en train de se noyer.

Mais, ce n'était pas de l'eau, c'était plutôt comme des vrilles d'ombre s'échappant de son nez et de sa bouche. Elles éclaboussaient le plancher avant de glisser comme des serpents hors de sa cellule.

Randolf n'avait jamais rien vu de semblable et il les regardait, hébété, tandis qu'elles ondulaient sur le plancher et se dirigeaient vers le constable Roarke et ses adjoints.

–Hé! cria-t-il en se relevant brusquement. Hé là-bas, réveillez-vous!

Personne ne l'entendait et les serpents cauchemardesques se tortillaient sur le corps des hommes de loi toujours endormis.

–Écoutez-moi! cria-t-il encore, en empoignant des mains les barreaux de la cellule de sa prison. Réveillez-vous, vite!

Mais, ils continuaient à dormir et les ombres finirent par se glisser entre leurs lèvres et par leurs narines.

Les hommes commencèrent à s'agiter et à gémir comme s'ils faisaient un cauchemar.

Impuissant dans sa cellule, Randolf ne put qu'être témoin, tandis que, un à un, le constable et ses adjoints se réveillaient.

Mais, ils n'avaient plus rien en commun avec les hommes qui s'étaient endormis.

CHAPITRE 9

Tom fut surpris que la pierre ne soit pas brûlante dans sa main. Il s'attendait à ce que, en la prenant, celle-ci soit brûlante, mais il ressentit plutôt quelque chose comme un chatouillement qui lui procura une étrange sensation de picotement qui parcourut tout son corps. La terre et la saleté qui la recouvraient et lui donnaient cette apparence terne et mate s'étaient effritées, et la pierre brillait maintenant de sa pleine intensité lumineuse.

La lueur était aveuglante; il cligna des yeux afin de chasser les points de couleur qui flottaient devant ses yeux.

Et, comme sa vision redevenait normale, il vit des choses étonnantes.

Des images qu'il ne pouvait expliquer défilaient à toute vitesse devant ses yeux, des personnes, des lieux et des objets qu'il n'arrivait pas à reconnaître tout en sachant que, quand le temps serait venu, il pourrait les identifier.

La première chose qui se présenta à lui fut le royaume d'Athéia; il s'y était déjà rendu avec ses parents lors du couronnement de

la reine Thorn. Pourtant, la grande citée lui semblait bien différente de ce qu'elle avait été alors. Elle lui apparaissait inhabi-
tuellement silencieuse… comme une tombe.

Et, soudain, Tom sut, il le sentit au plus profond de lui-
même, il y retournerait pour venir en aide au royaume, il
entreprendrait un voyage vers le sud pour voler au secours
de la reine. *Thorn*.

Athéia fut rapidement remplacée par une vision où trois
curieuses créatures tombaient d'un vaisseau flottant dans les
airs. La vision se modifia aussitôt et il vit un homme plus âgé,
portant la vieille tunique en loques des prêtres guerriers,
emprisonné dans une cellule; puis, cette scène fut remplacée
et il eut devant lui deux répugnants rats-garous qui venaient
de surgir de la forêt. *Il lui semblait bien qu'une de ces deux
créatures tenait précieusement quelque chose dans sa main,
était-il possible que ce soit un écureuil mort?*

Toutes ces images dansèrent devant ses yeux pendant un
bref moment et, l'instant d'après, elles s'étaient envolées, et
Tom se retrouva dans la cour, s'étendant à l'avant de sa maison. Il serrait toujours le fragment de Spark dans sa main et,
de celui-ci, filtrait une sorte de chaude pulsation semblable
au battement d'un cœur.

Sans poser de question, il remit le collier à son cou et jeta
un coup d'œil à la cour autour de lui. Les animaux morts
qui rampaient vers eux de manière inquiétante gisaient de
nouveau sur le sol, sans vie, de leur forme putrescente se
dégageait un peu de vapeur sous les rayons du soleil. Tom
pensa que le brillant éclair provenant du Spark avait chassé
l'esprit malfaisant du Nacht du corps des animaux.

Roderick et Lorimar s'élancèrent vers lui.

–Ça va, Tom? demanda son ami à fourrure avec inquiétude. Quand tu as pris le Spark, j'ai vraiment cru que…

–C'était une sensation très étrange, commença Tom fébrile. J'ai vu des images d'Athéia et j'ai su instinctivement que la reine avait besoin d'aide. Puis, j'ai vu ces curieuses petites créatures blanches…

–Est-ce que c'était des Bone? demanda Roderick tout excité. J'adore les Bone!

–Je crois que oui, convint Tom. Et, je crois que j'ai aussi vu un prêtre Veni-Yan emprisonné. Et, ça ne va pas te plaire, mais il y avait deux rats-garous, et… oh oui, les Bone dont je t'ai parlé. Ils avaient un vaisseau, mais celui-là pouvait naviguer dans les airs et…

Mais, ses amis ne lui prêtaient aucune attention, ils regardaient dans les airs.

–Qu'y a-t-il? Que regardez-vous? demanda Tom en se retournant; il s'étira le cou et se protégea les yeux de sa main à cause de la lumière du soleil.

–Un vaisseau du ciel, dis-tu? interrogea Lorimar.

–Un vaisseau du ciel comme celui-ci? ajouta Roderick, en pointant vers le ciel.

Tom était bouche bée, incapable de quitter des yeux le majestueux vaisseau en bois qui flottait au-dessus de leur tête.

–Oui, comme celui-ci, réussit-t-il enfin à dire, tandis que le vaisseau amorçait sa descente vers la terre.

–Ohé! en bas, appela un représentant de la famille Bone en agitant amicalement la main.

–Bonjour, lança Tom qui retourna leur salut et put alors discerner deux enfants Bone qui les observaient en se tenant au rebord du vaisseau.

Roderick se mit à sautiller sur place, en agitant les deux bras avec enthousiasme.

–Je me nomme Percival F. Bone, dit le Bone qui avait vraiment un gros nez. Nous sommes des nouveaux venus dans la Vallée et nous en profitons pour jeter un coup d'œil.

Je suis Abbey et nous sommes des explorateurs, cria dans leur direction la jeune Bone.

–Nous sommes à l'école de l'aventure et je m'appelle Barclay, ajouta le jeune Bone.

–Bienvenue à vous tous. Je suis Tom Elm et voici mes amis, Roderick et Lorimar. Vous avez vraiment un vaisseau extraordinaire.

–Ce vieux vaisseau, dit Percival en riant. Il me conduit là où j'ai besoin d'aller. Il se pencha et caressa affectueusement la coque en bois.

–Êtes-vous des gens pacifiques? leur demanda Barclay. Si nous nous posons, vous n'allez pas essayer de nous manger ou quelque chose de ce genre, n'est-ce pas?

La petite fille le poussa de son poing. Pourquoi poses-tu des questions stupides, le réprimanda-t-elle. Vous n'allez pas nous manger, n'est-ce pas? demanda-t-elle alors à Tom.

Il se mit à rire. Nous ne mangeons personne ici dans la Vallée, lui assura-t-il.

–Nous, peut-être, mais les deux rats-garous que tu as vu dans ta vision le pourraient, murmura Roderick à la seule intention de Tom.

–Chut, Roderick, dit Tom à son ami. Je ne connais même pas le sens de tout cela.

Le vaisseau du ciel se rapprocha, puis il s'immobilisa et sa coque frotta contre la cime des arbres.

–C'est le plus près que nous puissions nous approcher de la terre, indiqua Percival. Il faut ensuite descendre par l'échelle.

Tom entendit qu'on déplaçait diverses pièces d'équipement sur le pont du vaisseau et une lourde ancre métallique fixée à un câble fut descendue. On fit aussi descendre une échelle de corde, qui s'arrêta à quelques centimètres du sol.

Abbey descendit l'échelle la première, suivie de près par Barclay. Percival fut le dernier à s'y aventurer et il chancela en posant les pieds par terre.

–Donnez-moi une minute pour retrouver mon équilibre sur le plancher des vaches, dit-il en oscillant de gauche à droite.

—Enchanté de faire votre connaissance, dit-il après un court moment, en tendant la main à Tom. Nous venons en paix et tout et tout.

Tom lui serra vivement la main. Enchanté de vous rencontrer, moi aussi!

Vous êtes des Bone! dit Roderick, les pointant du doigt.

—Et toi, tu es un raton laveur, ajouta Percival. Dites-moi plutôt quelque chose que j'ignore.

—Connaissez-vous le meilleur ami de la reine, Fone Bone? demanda Tom tout excité.

—Si je le connais? dit Percival. Nous sommes cousins du côté de mon père.

Lorimar replia ses maigres doigts filandreux devant elle.

—Ah oui, les Bone… une espèce tenace, en effet. Le Rêve a bien choisi, dit-elle.

—Choisi? demanda Percival. Qui a été choisi ici?

Tom pouvait voir la confusion sur le visage de ses nouveaux amis et essaya d'apporter quelques explications.

—Il y a une créature, qu'on appelle le Nacht, qui menace de tout recouvrir de ténèbres et j'ai été choisi par le Rêve pour trouver tous les fragments du Spark.

Tom saisit la pierre lumineuse blanche qui pendait à son cou pour la montrer à Percival. Voyez-vous!

Juste comme ces mots quittaient ses lèvres, son esprit fut de nouveau envahi par des images... une autre vision que le Rêve voulait – ou avait besoin – de lui montrer.

Tom vit de nouveau le vieil homme dans sa prison, le prêtre Veni-Yan. Il y avait des hommes… non, autrefois ils avaient été des hommes, ils se trouvaient aujourd'hui sous l'emprise du Nacht.

—Qu'y a-t-il, mon garçon? demanda Percival, dont la voix semblait venir de loin. Est-ce que ça va, dis-moi?

Mais Tom était dans l'incapacité de répondre.

Les hommes du Nacht encerclaient la cellule de la prison et se déplaçaient rapidement, tout comme les animaux morts qu'il avait vu ramper hors de la forêt. Ils essayaient de s'approcher de l'homme emprisonné.

Immédiatement, Tom sut ce qu'il fallait faire.

—Il faut l'aider, dit-il, revenant subitement au présent.

—Aider qui? demanda Percival.

—Il y a un homme qui a besoin de notre aide au village de Trumble.

—D'accord, dit Percival, qui réfléchissait tout en se grattant le menton. Qui est cet homme et pourquoi a-t-il besoin de notre aide?

—Le Spark vient juste de me transmettre une autre vision, expliqua Tom. Ce doit être l'un des nôtres… il doit se joindre à notre quête.

—Quête? interrogea Percival. Attends une minute, qui a parlé d'entreprendre une quête?

Les jumeaux commencèrent à manifester leur joie.

– Hourra! Nous allons entreprendre une quête, dirent-ils à l'unisson.

Roderick fit un pas en avant, l'inquiétude se lisait sur son visage poilu. Si ce type a besoin de notre aide, Trumble est à au moins une journée de marche d'ici.

– Seulement si nous y allons à pied, dit Tom, en jetant un coup d'œil plein d'espoir en direction de Percival.

– Mais, de quelle autre manière pensiez-vous y aller? commença Roderick, qui comprit tout à coup en suivant le regard de Tom rivé sur le capitaine Bone.

– Oh, je comprends, acquiesça le raton laveur.

– Vous n'envisagiez pas d'utiliser... dit Percival en pointant le doigt en direction du vaisseau du ciel flottant au-dessus de leur tête.

Tom, Roderick et même Lorimar hochèrent lentement la tête.

– C'est le seul moyen que nous ayons d'arriver à temps, dit Tom.

– Je ne sais pas.

Percival commença à faire les cent pas tout en se grattant le menton.

– Allons, oncle Percy, dit Abbey, en marchant à ses côtés. Il faut aider ce pauvre type.

– Cela pourrait compter comme notre premier test à l'école de l'aventure, suggéra Barclay.

– Je ne sais pas, répondit Bone l'explorateur. Ça pourrait être dangereux.

—Ce le sera très certainement, intervint sèchement Lorimar. Mais, ce n'est rien en comparaison de ce que deviendra le monde si le Nacht parvient à étendre son influence néfaste.

Percival cessa brusquement son va-et-vient.

—Je ne voudrais pas exiger votre aide, dit Tom, espérant que la vision du Spark n'ait pas été une illusion. Mais, il faut absolument se décider rapidement. Il attendit, retenant son souffle.

—Oh, et puis flûte, dit enfin l'aventurier, en agitant les bras en l'air. Je n'ai jamais vraiment participé à une quête jusqu'à maintenant, et il faut toujours qu'il y ait une première fois.

Roderick et les jumeaux applaudirent et sautèrent sur place.

—Mais, durant le vol, tu vas me donner tous les détails. C'est entendu? demanda Percival.

—Entendu, acquiesça Tom, chez qui montait l'enthousiasme et l'excitation, teintés d'une part de peur, alors qu'il réalisait que sa vie allait être transformée à jamais. Et que la quête était déjà commencée.

. . .

Tom porta sa sœur endormie dans la chambre de ses parents et la déposa délicatement entre eux sur le lit. Il ne voulait pas qu'elle reste seule.

Bien qu'effrayé par la tâche qui l'attendait, il savait qu'il devait faire quelque chose, n'importe quoi, pour qu'ils se réveillent.

—Je dois partir maintenant, leur dit-il. Je pars et, grâce à ma quête, j'espère être en mesure de vous aider, vous et tous les habitants de la Vallée. Il s'approcha et releva les couvertures sous leur menton.

–Si tout se passe bien, la prochaine fois que je vous verrai, vous serez réveillés, dit-il. Il commençait à ressentir le poids des responsabilités face à la tâche qui l'attendait, l'avenir d'un grand nombre de personnes reposait sur ses épaules. Le destin de sa famille, et celui de toute la Vallée, en fait, dépendait de lui. À mon retour, je pourrai vous parler de tout ce que j'aurai vu et de tout ce que j'aurai fait, et vous présenter mes nouveaux amis.

Son père poussa un gémissement, se tourna sur le côté, il se mit à ronfler.

–Je sais que je ne vous le dis jamais, mais je vous aime tous. Tom se pencha et déposa un baiser sur la tête de chacun d'eux.

–Es-tu prêt, Tom? Il se retourna et vit Roderick qui se tenait debout dans l'embrasure de la porte. Percival dit que nous sommes prêts à partir.

–Je suis prêt, dit Tom, en jetant un dernier coup d'œil à sa famille endormie et en se dirigeant vers la porte.

. . .

–Allez, en route! cria Percival à Tom et à Roderick à leur sortie de la maison. Dans sa main, il tenait l'échelle de corde qui conduisait au pont de la *Reine des airs*.

Pendant ce temps, le grand aventurier de la famille Bone observait son vaisseau. Oui, tout semblait en ordre. Abbey et Barclay étaient allés chercher une nouvelle provision de pommes de terre dans la cale, pour qu'ils ne risquent pas de manquer de carburant pendant quelque temps. Alors, tout était en place pour le départ.

Il sentit sur lui le regard de cette femme étrange qu'était Lorimar, et se retourna vers elle.

—Tout le monde est à bord, nous allons partir sous peu, dit Bone.

Lorimar pivota et ses yeux se portèrent sur la forêt sombre entourant la maison.

—Il faut se hâter si nous voulons arracher le dernier membre de notre confrérie à l'influence funeste du Nacht.

—Ce Nacht, c'est vraiment quelque chose, j'imagine, commenta Percival.

—Vraiment quelque chose? répéta-t-elle, ne saisissant pas le sens de ses paroles.

—Vous savez, un œuf pourri, un bon à rien, quelqu'un de pas très recommandable.

Elle continuait de le fixer.

Il se gratta le menton, cherchant le mot juste.

—Quelqu'un de mauvais! s'exclama-t-il, et il vit aussitôt apparaître un air de compréhension sur son visage fait de mousse.

—Oui, le Nacht est un homme très mauvais, acquiesça Lorimar. Et nous aurons besoin d'être forts pour le vaincre.

—Ne tremblez plus, tonna Percival en gonflant les muscles de son bras. Allez-y, touchez. Voyez, c'est dur comme de l'acier.

—De nouveau, Lorimar le regarda sans bouger.

—Oublions cela, murmura-t-il, alors que Tom et Roderick se rapprochaient.

—Prêts à monter à bord? demanda Percival, en sentant les battements de son cœur s'accélérer et le sang courir dans ses veines.

—Prêt, dit Tom.

Percival jeta un coup d'œil au raton laveur. Et toi?

—Prêt! dit Roderick commençant à ressentir de l'excitation.

—Parfait, conclut l'explorateur de la famille Bone, en dirigeant son attention sur la mystérieuse femme.

—Et vous?

Lorimar demeura sinistrement silencieuse.

—Mais, il ne faut pas avoir peur, l'encouragea Percival pensant qu'elle avait besoin d'être rassurée. Il tendit la main et saisit son coude. Il éprouva une sensation étrange, comme s'il tenait une branche épaisse. Vous n'avez qu'à grimper à l'échelle et…

Soudain, le bras de Lorimar commença à se désagréger au creux de sa main.

Percival était bouche bée, tandis que la femme-forêt se désintégrait sous ses yeux.

—Ce n'est pas de ma faute, dit-il, en constatant les expressions horrifiées du garçon et du raton laveur.

—Que s'est-il passé, demanda Tom.

Elle est tombée en morceaux, dit Roderick, en s'approchant du tas de branches, de feuilles et de tiges de plantes grimpantes qu'il continuait d'explorer avec sa patte.

—Je sais bien qu'elle s'est désintégrée, dit le garçon. Mais, pourquoi? Ne devait-elle pas nous accompagner?

—Je ne sais pas quoi te dire, mon garçon, dit Percival.

Et, tous demeuraient là, le regard fixé sur le tas de branches, jusqu'à ce qu'un des jumeaux lance du haut du pont du vaisseau.

—Hé! Je croyais que nous étions sur le point d'entreprendre notre quête! cria Barclay.

—Ouais, n'avons-nous pas quelqu'un à sauver? demanda Abbey.

Les yeux de Tom quittèrent les restes de Lorimar. Il se peut qu'elle n'ait jamais eu l'intention de nous accompagner, dit-il en haussant les épaules. Je pense que nous devrions probablement partir.

Percival se posta de côté au bas de l'échelle. Alors, grimpez à bord, et en route! Il jeta un dernier regard au tas qui avait été Lorimar et hocha la tête. *Dans quoi me suis-je embarqué?* pensa-t-il, puis il suivi le garçon et le raton laveur dans l'échelle et posa le pied sur le pont de la *Reine des airs*.

Barclay! Abbey! hurla-t-il en gravissant l'échelle le long de la coque du vaisseau:

—Oui, capitaine! répondit le petit Bone. Ils se précipitèrent à travers le pont et se mirent au garde-à-vous pour saluer.

—Remontez l'échelle et l'ancre.

—Bien, commandant, lancèrent-t-ils. Abbey se rua vers le rebord du vaisseau pour remonter l'échelle, tandis que Barclay se chargeait de relever l'ancre.

—Hé! Où est passée la femme-forêt? demanda Abbey.

—Ne pose pas cette question-là, dit Percival en se dirigeant vers le poste de barre.

—Faites comme chez vous, les amis, dit-il en dépassant Tom et Roderick.

Percival saisit la barre du vaisseau d'une main et tendit la main vers le haut pour tirer un des câbles qui pendait au-dessus de sa tête. Cette commande actionnait le brûleur, chauffant le gaz qui leur permettait de prendre de l'altitude.

Percival observa le visage de Tom à travers la fenêtre du poste de barre tandis que la flamme grondait et que les ballons se remplissaient d'air chaud. Les yeux du garçon ressemblaient à des soucoupes, et Percival sut exactement comment il se sentait parce qu'il ressentait la même chose chaque fois que la *Reine des airs* s'envolait. Il ferma les yeux et renifla l'air.

—Sentez-vous quelque chose? leur demanda-t-il.

—Que dis-tu? demanda Tom, sur le pas de la porte.

—Je vous ai demandé si vous sentiez quelque chose, dit Percival.

Le garçon renifla l'air à son tour avec son petit nez comparé à celui de Percival.

—Sentir quoi? demanda-t-il enfin.

−L'aventure, dit Percival, un sourire moqueur sur son visage et, saisissant la barre, il fit changer de cap à l'immense vaisseau. Le parfum de l'aventure.

CHAPITRE 10

Deux rats-garous observaient dans l'ombre des bois.

–Qu'est-ce que c'est que ça? demanda l'un d'eux, en serrant un peu plus fort son écureuil mort et en regardant à travers les hautes herbes couvrant le sol.

–Je n'en sais rien, siffla l'autre. Ne n'ai jamais rien vu de tel.

Bien que terrifiés, ils ne pouvaient détacher leur regard de cette chose. L'objet flottait dans les airs comme un gros oiseau en bois, et il y avait même quelques personnes à bord… un type d'humain très en chair, une créature habitant les bois et des Bone.

Bone!

–Vois-tu ce que je vois? demanda le rat-garou, n'en croyant pas ses yeux. Il leva même son écureuil pour qu'il puisse voir, lui aussi.

–Oui, je vois, répondit l'autre. Ça ressemble à un immense chariot volant. Je n'ai jamais rien vu comme…

—Non, pas l'immense chariot que tu vois, mais ce qui est *sur* le chariot volant, dit le rat-garou en pointant un long doigt griffu. Regarde là.

L'autre regarda dans la direction indiquée par son camarade et il les vit... trois en tout.

—Bone, dit-il avec excitation. Il y a des Bone sur le chariot volant.

—Oui, dit le rat-garou perdu dans sa contemplation, tout en flattant la fourrure de son butin, son petit rodeur des forêts putrescent. Une idée était en train de prendre forme au plus profond de sa petite tête.

—Un cadeau pour le roi, dit-il, en reportant son regard vers son compagnon.

L'Autre regarda vivement autour de lui. Où ?

De nouveau, le rat-garou pointa, au-dessus d'eux, le vaisseau flottant qui poursuivait sa course en survolant la cime des arbres.

—Là, dit-il.

—Ça ?

Le rat-garou hocha la tête. Que penserait le roi si nous lui offrions ça, et toute la délicieuse chair fraîche qui se promène là-dessus.

L'autre rat-garou réfléchit pendant un certain temps, en suçant une de ses griffes. Je crois qu'il serait très content.

—Exactement, dit le rat-garou. Et, s'il est heureux, il ne voudra plus nous tuer.

L'autre sourit, montrant plusieurs rangées de dents jaunes et effilées. Oui, je pense que tu as raison.

– Et, dans son immense gratitude, ajouta le rat-garou, il nous permettrait de conserver Frédéric. Le rat-garou étreignit son butin putréfié, en se balançant d'un côté à l'autre. Et tous nos problèmes seraient résolus.

Son ami réfléchissait, en regardant diminuer la taille de l'objet qui s'éloignait toujours.

– Alors, comment allons-nous le capturer? demanda-t-il.

Le rat-garou cessa d'étreindre l'écureuil pendant un instant.

– Est-ce que je dois penser à tout? dit-t-il d'un ton cassant. J'ai déjà imaginé tout ce plan. Ne penses-tu pas que c'est à ton tour de trouver comment nous allons l'exécuter?

Effrayé par le ton de son camarade, l'autre rat-garou avala sa salive. Exécuter? N'utilise pas ce mot, lui dit-il, épouvanté par le sort que leur réservait le roi Agak s'il les trouvait avant qu'ils réussissent à faire l'acquisition de ce cadeau spécial.

Sous peu, le vaisseau du ciel serait hors de vue. Il fallait qu'il propose quelque chose, n'importe quoi.

– Je crois que nous pourrions les suivre et attendre une occasion pour leur sauter dessus, déclara-t-il.

Le rat-garou demeura silencieux, tout en continuant à flatter la fourrure grise du rongeur mort.

– Leur sauter dessus, ça c'est bien, dit-il enfin en hochant la tête.

Et sans un autre mot, les deux créatures s'avancèrent à travers la forêt à pas furtifs, les yeux fixés sur l'étrange vaisseau flottant dans l'air.

Ils attendraient donc le bon moment.

. . .

Debout derrière la porte verrouillée de sa cellule, Randolf observait le constable et ses trois adjoints. Ils se déplaçaient comme si leur corps ne leur était pas familier, comme s'ils n'étaient plus en possession de leur enveloppe charnelle, comme si désormais quelque chose, une force issue de l'ombre, en avait pris le contrôle.

—Regarde ça, dit la chose qui avait adopté le corps du constable Roarke. L'homme pliait les doigts de ses grandes mains, les regardant comme s'il les voyait pour la première fois.

Randolf remarqua que même le son de sa voix était différent.

—C'est beaucoup mieux que de la chair d'animaux en décomposition, n'est-ce pas, les gars?

Les adjoints pouffèrent de rire. Eux aussi étaient occupés à vérifier le bon fonctionnement de leurs nouveaux membres.

—Bien mieux, acquiesça l'un des adjoints. J'y prendrais goût sans la moindre difficulté.

Le constable gloussa et il leur sembla qu'il allait tousser et qu'il allait laisser échapper quelque chose par la bouche.

—Quand le Nacht prendra possession de ces terres, peut-être nous récompensera-t-il avec ces corps.

En entendant ces terribles paroles, le sang de Randolf se glaça, ses pires craintes se trouvaient confirmées. Quelque chose n'appartenant pas à ce monde avait effectivement pris possession des quatre hommes. Une chose qui s'était échappée du Rêve et avait réussi à se glisser dans le monde.

Tout à coup, le constable remarqua Randolf et se mit à l'examiner de ses yeux liquides et noirs.

– Bonjour, saint homme, croassa-t-il.

Randolf se raidit.

– Est-ce que c'est lui? demanda un des adjoints.

Le constable hocha la tête, un sourire malicieux s'élargissant sur son visage.

– Qu'allons-nous faire de lui? s'enquit l'autre adjoint qui se frottait les mains en pensant à tous les plaisirs qu'il pouvait anticiper.

– Notre tâche consiste à faire en sorte que le Veni-Yan ne puisse se dresser contre les plans de notre maître, intervint le constable.

– Et comment allons-nous y arriver? demanda un troisième adjoint.

– Oui, comment pouvons-nous l'empêcher d'intervenir dans son œuvre? renchérit un autre.

– Mais, de la manière la plus efficace, bien sûr, dit le constable en faisant un pas en avant. Il tendit la main pour saisir le prisonnier, mais il se heurta aux barreaux de la porte.

Randolf se pressa contre le mur opposé pendant que le constable secouait furieusement la porte pour qu'elle s'ouvre.

−Ouvre cette porte, lui ordonna le constable.

−Je suis désolé, dit Randolf. Même si je le pouvais, je doute sérieusement que je le ferais.

Le constable laissa échapper un grondement sourd et se retourna vers les autres.

−Ne restez pas là. Aidez-moi!

Les autres se ruèrent sur leur chef, tout en s'efforçant de comprendre le fonctionnement de leurs nouvelles jambes. Ils s'arrêtèrent devant la porte de la cellule de la prison et, de leurs yeux noirs et brillants, ils se mirent à examiner les barreaux.

−Il faut ouvrir cette porte, dit l'un des adjoints.

−Crois-tu? dit le constable en fronçant les sourcils. Bien sûr, qu'il faut l'ouvrir… mais comment? Elle est verrouillée.

Randolf regardait tandis que les êtres possédés marchaient de long en large devant sa cellule. Il voyait bien qu'ils s'efforçaient de réfléchir et de trouver un moyen de l'ouvrir.

−Une clé! s'exclama l'un des adjoints.

−Oui! Excellent! approuva le constable Roarke. Il tendit la main. Donne-la-moi.

Avec un air penaud, l'adjoint jeta un coup d'œil à son chef.

−Je ne sais pas où elle se trouve, dit-il, en haussant les épaules.

Randolf était très heureux car il semblait que les créatures possédées n'aient pas accès à la mémoire de ses geôliers. Il se rappelait distinctement avoir vu le constable Roarke mettre la lourde clé métallique dans une grosse boîte en bois sur une des tablettes au bas de la table de l'autre côté de la pièce.

La fureur déformait le visage du constable tandis qu'il regardait Randolf à travers les barreaux.

– Sais-tu où est la clé Veni-Yan?

Randolf répondit par un haussement silencieux des épaules.

– Très bien, dit doucement le constable. Nous aurions pu sceller rapidement ton destin, afin de faire en sorte que tes souffrances soient de courte durée, mais cette fois, tu m'as mis en colère et je serai sans merci.

Assis sur sa couche de paille au fond de sa cellule, Randolf resta silencieux.

– N'oublie pas, nous t'avons donné une chance, gronda le constable furieux.

Il regarda ses adjoints. Si les hommes dont nous avons pris le contrôle l'ont enfermé là-dedans, dit-il, pointant son doigt vers Randolf à travers les barreaux, alors la clé est quelque part ici. D'un geste circulaire de sa large main, il désigna l'ensemble de la pièce. Trouvez-la, aboya-t-il.

Les êtres possédés se mirent à chercher et le constable se tourna vers Randolf. Il s'approcha très près de la porte de la cellule et le fixa derrière les barreaux.

—Nous allons nous occuper de toi dans une minute.

. . .

Percival pensa qu'il faudrait peut-être qu'il se fasse examiner. Empoignant à pleines mains la barre de la *Reine des airs*, il faisait dériver le vaisseau à travers les nuages. Il s'était engagé à mener à bien une mission comportant une bonne part d'inconnu, ce qui pouvait faire en sorte que lui et ses neveux se retrouvent dans des situations fort périlleuses.

Oui monsieur, il était grand temps de se faire examiner.

Mais, un petit quelque chose à propos de ce garçon, ce Tom Elm, poussait Percival à lui accorder toute sa confiance et, si ce qu'il disait était vrai, toute la Vallée, et même bien plus, pourrait être menacée si personne n'agissait.

Oh, et puis zut! murmura Percival au comble de la frustration, en donnant un violent coup de barre. Je déteste me retrouver dans ce genre de situation. Il adorait l'excitation que procurait l'aventure, mais risquer sa vie et celle des jumeaux était une autre affaire.

—Y a-t-il un problème, Percival Bone? demanda une voix féminine provenant du coin du poste de barre encombré qui lui donna la chair de poule.

—Qui est-ce? demanda Percival, qui pivota brusquement, mais ne vit personne.

—C'est moi, dit une voix.

Elle semblait provenir d'un point situé directement devant lui.

—Où…? commença-t-il, puis il vit.

Il la vit.

—HÉÉÉ! hurla l'explorateur de la famille Bone, en sautant en arrière. Qu'est-ce que vous faites ici?

Au centre même de la barre, se tenait la figure de la femme-forêt, le visage de Lorimar.

—Pour voyager, je dois conserver un lien quelconque avec la vie organique, expliqua-t-elle. Il fallait donc que je visite votre vaisseau.

—Visiter? interrogea Percival. Vous habitez la *Reine des airs*.

—Oui, Percival Bone, j'habite le bois de ton vaisseau.

—Alors, j'aurai tout vu, dit le représentant de la famille Bone qui, au fond de lui-même, savait pertinemment que c'était faux. Il lui restait encore beaucoup d'événements fantastiques à vivre. De cela, il était absolument convaincu.

Il retourna à la barre et s'en saisit à pleines mains.

—Est-ce que ça va? demanda Lorimar au centre de la barre.

—À merveille, dit Percival, promenant les yeux tour à tour de la fenêtre lui faisant face au visage l'observant du centre de la barre.

—Es-tu certain que ce soit tout? demanda-t-elle.

—Oui, j'ai simplement envie de plaisanter, lui confia l'explorateur avec une pointe de sarcasme dans la voix. Il tendit la main et manipula distraitement quelques valves du vaisseau.

—Qu'est-ce qui t'inquiète? demanda Lorimar.

Il pensa qu'il serait préférable de garder ses pensées pour lui, mais c'était plus fort que lui, il fallait qu'il parle à quelqu'un. Son père lui avait toujours dit que la meilleure façon de régler un problème consistait à ne jamais le laisser vous hanter. Alors, Percival décida de s'expliquer.

—Ce qui me préoccupe surtout, c'est la raison pour laquelle je me suis laissé convaincre de prendre part à cette expédition, dit-il, en baissant les yeux vers le centre de la barre.

—Mais, tu étais d'accord pour nous aider…, commença-t-elle.

—Oui, je pense maintenant que j'ai peut-être parlé trop vite.

—Mais, toi aussi, tu as été choisi, ajouta Lorimar.

—Vous dites toujours cela, mais choisi par qui? Je ne comprends pas, grommela Percival en plongeant son regard dans l'immensité du ciel.

—Le Rêve t'a choisi… Le Rêve vous a tous choisis pour être ses champions contre le Nacht, expliqua Lorimar.

—Et, ce type que nous allons délivrer? Il a été choisi lui aussi?

—Oui, confirma-t-elle. Le Rêve a choisi chacun d'entre vous pour une raison spéciale. Le Rêve ne se trompe jamais.

—*Hum!* pensa Percival. Alors, le Nacht… est très puissant, n'est-ce pas?

—Ce que tu dis est bien au-dessous de la vérité, répondit Lorimar. Si on ne l'arrête pas, le Nacht menacera l'existence même de deux univers, le Rêve et le monde de l'Éveil.

Percival demeura silencieux pendant un moment, réfléchissant à cette incursion dans l'inconnu qui l'attendait. Un peu de danger çà et là ne lui faisait pas peur et, en fait, d'une certaine façon, cela ajoutait un peu de piquant à la vie. Mais, aujourd'hui, les choses étaient bien différentes avec Abbey et Barclay.

—J'ai peur pour les enfants, dit-il enfin. Il regarda en direction du pont, où Abbey et Barclay avaient entrepris de faire visiter le vaisseau à Tom et à Roderick, le raton laveur.

—J'aimerais les tenir à l'écart du danger autant que possible, dit-il. L'expression de peine sur les traits de Lorimar informa Percival qu'il n'allait pas apprécier ce qu'elle était sur le point de lui dire.

—Avec la menace du Nacht partout autour de nous, Percival Bone, l'avertit-elle, il est trop tard pour les regrets. Ils sont déjà tous compromis.

Percival poussa un soupir et jeta un coup d'œil en direction de sa nièce et de son neveu avant de reporter son attention sur le pilotage de la *Reine des airs*.

—C'est exactement ce que je craignais.

CHAPITRE 11

Les êtres possédés continuaient de mettre en pièces la prison, rugissant et se comportant comme des animaux tout en continuant de chercher la clé de la cellule.

Randolf, immobile, ne les aidant en rien. Il restait assis sur sa couche, s'efforçant de les détourner mentalement de la boîte contenant leur butin.

—Il sait où elle est, dit l'un des adjoints en ouvrant un cabinet abritant des épées et d'autres armes. Regardez-le, assis avec son air supérieur.

—Ne t'en fais pas pour lui, ordonna le constable Roarke. Ce n'est qu'une question de temps avant que nous ne trouvions cette clé, et nous verrons s'il a toujours cet air supérieur.

L'adjoint se mit à rire. Son rire donnait froid dans le dos, mais Randolf fit comme s'il n'avait pas entendu. Il lui fallait rester calme, afin de se préparer au cas où se présenterait une occasion. Le contrôle de soi face à la pression, c'était là une des premières leçons apprises par le guerrier Veni-Yan, et cela lui avait plusieurs fois sauvé la vie.

Mais, il n'avait pas pu sauver sa femme et son enfant.

Soudain, le constable porta un regard intense sur lui et, penchant la tête en arrière, il renifla l'air.

– Quelle est cette odeur ? demanda-t-il, en s'approchant de la cellule. N'est-ce pas le délicieux arôme de la défaite et du regret, tinté d'un peu de tristesse.

Étrangement, la créature pouvait sentir les émotions de Randolf et il se rapprocha encore des barreaux de la cellule, comme un loup flairant l'odeur du sang.

– Toute cette tristesse, fit observer le constable en lui décochant un regard à travers les barreaux. Peut-être est-ce pour cette raison que le Nacht tient si désespérément à ce que nous nous occupions de toi.

Le Nacht, pensa Randolf. *Ce doit être leur maître.*

– Tu sais ce qu'on dit de ceux qui ont le cœur plein de regrets et de tristesse. Ils n'ont plus rien à perdre et cela les rend dangereux.

Randolf ne répondit pas, et les monstres continuèrent à ravager la pièce. L'un d'entre eux se trouvait maintenant dangereusement près de la boîte où étaient cachées les clés.

– Tu n'es pas dangereux, n'est-ce pas, le prêtre ? gronda le constable.

Soudain, dans leurs oreilles, retentit un cri de triomphe et, derrière le constable, Randolf vit un des adjoints danser en rond en agitant les clés dans sa main. Les autres poussaient des acclamations de joie, avant qu'ils ne se regroupent tous devant la porte de la cellule de Randolf.

−Cessez ce chahut et donnez-les-moi ! aboya Roarke. Ils se turent aussitôt et l'adjoint qui avait découvert le trousseau de clés les lui tendit.

−C'est l'heure, guerrier Veni-Yan. Le constable fit tinter sinistrement les clés avant d'essayer la première dans la serrure. Dès que nous aurons trouvé la bonne…

Le possédé commença à glousser, impatient de mettre la main sur lui.

Randolf était lui aussi anxieux, espérant pouvoir profiter d'une occasion quelconque. Il s'efforça d'ignorer leurs rires, d'écouter le son de chaque clé qu'on introduisait dans la serrure.

L'une après l'autre.

Métal contre métal.

Randolf attendit, s'efforçant d'identifier chaque bruit.

Clic !

Le prêtre Veni-Yan se crispa dans l'attente, tandis qu'on déverrouillait la porte qui s'ouvrait. Il bondit du lit et se jeta sur ses ennemis, la dernière question du constable résonnait toujours dans ses oreilles.

Tu n'es pas dangereux, n'est-ce pas, le prêtre ?

Randolf allait lui fournir une réponse.

Il allait lui montrer combien il pouvait être dangereux.

La *Reine des airs* s'immobilisa progressivement en se déposant dans un champ. Du pont du vaisseau, Tom pouvait voir
le village de Trumble non loin. Dans son ventre, il ressentait
un peu de nervosité et, encore une fois, il se demanda comment il se faisait que lui, un fils de cultivateur de navets, se
retrouvait ici aujourd'hui. Il s'était pincé des centaines de fois
pour être bien certain d'être éveillé; conclusion, il ne rêvait
pas. Bien qu'incroyable, tout ce qui lui arrivait était réel.
Mais, il espérait que le Rêve sache ce qu'il faisait.

– Bon, d'accord, disait Percival.

Tom pivota en direction de l'explorateur de la famille Bone
qui surgissait du poste de barre, sourire aux lèvres.

– Lorimar dit que l'air est chargé de dangers, et qu'il va falloir
se remuer si…

– Lorimar dit? demanda Tom.

– Oui, j'étais justement en train de lui parler dans le poste de
barre, répliqua Percival, en indiquant la petite pièce derrière
lui.

Pendant une seconde, Tom crut qu'il s'agissait d'une blague
bizarre, mais il réalisa aussitôt que Percival était sérieux.
Il s'approcha du poste de barre, jeta un rapide coup d'œil à
l'intérieur, mais ne vit personne.

– Percival, il n'y a personne ici, dit-il, s'efforçant de ne pas
paraître grossier. Si tu te souviens bien, Lorimar ne nous a
pas accompagnés, n'est-ce pas?

Roderick et les jumeaux s'étaient rassemblés autour d'eux.

— Que se passe-t-il? demanda Roderick.

Percival sourit d'un air espiègle. Tom croit que je commence à perdre la boule, dit-il, en se tapant la tête avec son gros doigt.

Le raton laveur hoqueta et fouilla le pont du regard. Est-ce que tu veux que nous t'aidions à la retrouver?

Percival éclata de rire. Non, ça ira, Roderick. Mais, je dois expliquer quelque chose à Tom.

Tom était très confus.

— Nous pensions que Lorimar ne nous avait pas accompagnés, reprit lentement le représentant de la famille Bone, mais, en fait, elle est avec nous.

Tom pivota sur lui-même et parcourut le vaisseau des yeux. Puis, il entendit un étrange bruit associant des craquements et des claquements, rappelant le son des branches d'arbres quand le vent souffle.

— Bonjour, Tom, dit une voix familière.

— La voilà, dit Percival en pointant son doigt vers un point situé derrière Tom.

— Voilà qui? demanda Abbey.

— Ouais, de qui parlez-vous? Avez-vous, vous aussi, perdu la boule? s'enquit Barclay.

Tom fit volte-face, ne distinguant rien d'autre que la coque en bois du vaisseau et le vaste ciel au-delà.

—Je suis ici, Tom, dit encore la voix.

Et, finalement, Tom la vit… *elle*.

Le visage de Lorimar était apparu sur la coque de la *Reine des airs*, et elle le fixait. Tom sursauta en poussant un cri.

—C'est elle… c'est Lorimar! s'exclama-t-il surpris.

—Waoou, regarde, dit Roderick, tandis que lui et les jumeaux s'approchaient du visage en bois.

—Comment est-elle venue jusqu'ici? voulut savoir Abbey… et Tom, bien sûr.

—J'imagine que c'est de cette manière uniquement qu'elle peut se déplacer, tenta d'expliquer Percival. Elle doit rester en contact avec les éléments.

Le regard de Tom passait du visage de Lorimar à celui de l'oncle Bone. Elle est *dans* le bois du vaisseau, alors? demanda-t-il, ayant de la difficulté à croire ce qu'il voyait.

Roderick et les jumeaux se rassemblèrent près du visage de Lorimar et tendirent craintivement la main pour la toucher délicatement.

—Mon esprit habite les choses de la terre… ce qui vit ou, en ce qui concerne ce vaisseau, ce qui a un jour été vivant.

Tom était soulagé. Je suis heureux que vous soyez toujours avec nous, dit-il au visage apparaissant sur la coque du navire. Je n'étais pas convaincu que nous pouvions réussir sans vous.

En pivotant pour le regarder, les yeux de Lorimar laissèrent échapper un petit craquement. Je suis certaine que vous y seriez arrivés, dit Lorimar avec sérieux. Le Rêve n'aurait jamais choisi quelqu'un qui serait incapable de mener à bien sa mission.

Ces paroles firent du bien à Tom, mais il n'était pas entièrement convaincu. Il était très soulagé de savoir que le Rêve avait confiance en lui, mais le croyait-il vraiment lui-même?

Percival tapa dans ses mains afin d'attirer l'attention de tous.

—Bien, alors, maintenant que cette question est réglée, dit-il. Je crois que quelqu'un attend que nous lui portions secours.

—En effet, dit Tom, en faisant un pas en avant. Le prêtre de Trumble.

Tom pointa son doigt vers le bord du vaisseau. Derrière ces arbres.

—Nous allons donc laisser la *Reine des airs* ici, dit Percival Bone, en s'approchant du rebord du vaisseau du ciel et en regardant en bas. Ce champ devrait très bien faire l'affaire.

—Jetez l'ancre, oncle Percy, demanda Barclay, en se dirigeant vers la pile de câbles sur laquelle on l'avait déposée. Sa sœur s'interposa rapidement, le poussant hors de sa trajectoire.

—C'est toi qui a jeté l'ancre la dernière fois, dit-elle. Et d'abord, c'est toujours au plus âgé que revient la responsabilité de jeter l'ancre.

—Qui a dit ça? s'objecta Barclay, les mains sur les hanches.

—C'est la loi, dit Abbey, confiante.

—Quelle loi? demanda Barclay. Je n'ai jamais entendu parler d'une telle chose.

– C'est parce que tu n'es pas le plus vieux, dit-elle en se baissant pour ramasser l'ancre en grognant.

Tom pouvait voir qu'elle éprouvait de la difficulté, mais il savait bien que jamais elle n'accepterait de demander de l'aide. Abbey lui rappelait sa petite sœur, Lottie, et, en la regardant, il ressentit un pincement au cœur.

– Attends, laisse-moi t'aider, offrit-il.

Une étincelle de colère jaillit dans ses yeux et, pendant un instant, Tom crut qu'elle allait protester, étant donné le traitement qu'elle réservait toujours à son frère. Mais le feu s'éteignit aussitôt et ce fut plutôt avec un sourire qu'elle lui répondit.

– Merci, Tom, dit-elle, puis elle détourna rapidement le regard, afin de cacher son sourire. Ils traînèrent leur charge jusqu'au rebord du vaisseau, hissèrent l'ancre et la firent basculer par-dessus le bastingage.

– Pourquoi ne l'a-t-elle pas frappé? demanda Barclay à Roderick, qui regardait la scène à ses côtés.

Le raton laveur haussa les épaules. Je ne sais pas. Tom est un gentil garçon.

– Je suis un gentil garçon, moi aussi, répondit Barclay.

Tom risqua un coup d'œil en direction du visage de Lorimar. Ses yeux étaient clos.

– Est-ce que ça va, Lorimar? demanda Tom.

—Le Nacht, dit-elle, ouvrant les yeux dans un doux craquement. Sa présence est de plus en plus forte dans le monde de l'Éveil.

Et, avant même qu'il ait le temps de demander ce qu'il fallait faire, Percival se mit en mouvement.

—Alors, il me semble que nous n'avons pas de temps à perdre, dit le représentant de la famille Bone. Il fit volte-face et, en empruntant l'escalier situé sous le pont, il retourna dans le poste de barre. Ils attendirent tous en silence jusqu'à ce que l'aventurier revienne, portant quelque chose que Tom n'avait encore jamais vu.

—Nous allons avoir besoin de ceci, dit Percival, en tenant un étrange objet long qui semblait fait de métal et de bois. Une extrémité se terminait en forme d'entonnoir. Tom n'avait absolument aucune idée de son utilité.

—Qu'est-ce que c'est? demanda Roderick, avant même que Tom puisse poser la question.

—C'est Susie, dit Percival avec fierté. C'est mon tromblon.

—Vous savez, quand oncle Percy sort Susie, c'est que la situation est sérieuse dit Barclay en souriant. Personne ne plaisante avec Susie.

—Qu'est-ce que c'est qu'un tromblon? dit Tom se sentant un peu idiot de devoir poser la question. Mais, au fond de lui-même, il pensait bien ne pas être le seul à ne pas le savoir.

—Susie est notre moyen de défense, expliqua Percival. Quand nous sommes face à un danger, Susie lui dit de s'écarter de notre route.

—Elle parle ? demanda Roderick.

—À sa manière, répondit Percival. Sa voix est très puissante quand elle s'exprime.

—Bonjour, Susie, dit le raton laveur en agitant la main.

Tom ne comprenait toujours pas ce qu'était Susie, mais il était un peu rassuré de savoir qu'elle voyagerait avec eux.

—Alors, qui vient en ville ? demanda Percival, en balançant l'arme sur son épaule.

—Moi, hurla Abbey, debout sur la pointe des pieds.

—Moi, aussi ! dit Barclay aussitôt après.

—Non, ça pourrait être dangereux, déclara l'oncle des jumeaux en secouant la tête, et la déception se lut aussitôt sur leur visage.

—Mais, le danger, nous avons l'habitude, on nous le sert au déjeuner, dit Barclay en agitant les bras en l'air.

—À compter d'aujourd'hui, vous suivrez un régime sans danger.

—D'ailleurs, intervint Tom, ne voulant pas que les jumeaux se sentent mis à l'écart, il faut que quelqu'un reste ici pour surveiller le vaisseau, n'est-ce pas Percival ?

L'aventurier de la famille Bone saisit aussitôt la perche qu'on lui tendait. Oui, c'est exact, dit-il. Il faut que les plus braves d'entre nous demeurent sur place et surveillent la *Reine des airs* pendant que nous serons au village.

—On s'en charge ! s'exclamèrent les jumeaux à l'unisson.

—Moi aussi! ajouta Roderick, en agitant un bras poilu en l'air.

—Toi aussi, Roderick, dit Tom à son petit ami.

—Le temps est précieux, intervint Lorimar. Nous devons partir à l'instant.

Tom était sur le point de lui demander si elle comptait les accompagner, mais il constata qu'elle avait disparu. Il tendit la main et toucha la surface lisse du bois et ne put trouver aucune trace de la femme-forêt.

—Viens, Tom, c'est maintenant ou jamais, acquiesça Percival en enfilant la courroie de Susie sur son épaule. Il agrippa l'échelle de corde et la balança sur le bord de la coque. Plus vite nous trouverons le nouveau membre de notre confrérie, plus vite nous pourrons entreprendre notre nouvelle quête.

—Soit bien sage, Roderick.

Le raton laveur dit au revoir de la main tandis que le garçon franchissait le rebord du vaisseau, suivi de Percival.

—Bonne chance, oncle Percy! cria Barclay.

—Fais attention, ajouta Abbey.

—Soyez sages, les enfants, dit Percival en descendant dans l'échelle. Et, ne touchez à rien.

Une fois sur le sol, Tom regarda autour de lui. Il allait dire quelque chose au sujet de Lorimar quand, soudain, la terre se souleva et une silhouette faite de racines, de feuilles et de pierres surgit devant eux.

—Je me demandais justement si vous alliez vous joindre à nous, dit Tom en souriant.

Lorimar s'inclina légèrement.

—Très bien, dit Percival. Maintenant que nous sommes tous là, en route. L'aventurier fit volte-face et se mit en marche vers le village.

—Tout va bien se passer pour eux, n'est-ce pas? demanda Tom, en suivant Lorimar. Il se retourna pour jeter un coup d'œil en direction d'Abbey, de Barclay et de Roderick qui leur faisait un signe de la main pour leur dire «au revoir». Que pourrait-il leur arriver?

Ils demeurèrent silencieux pendant un instant.

—Comme je l'ai dit, répondit enfin Percival. Essayons d'être de retour au plus tôt.

. . .

—Le voilà, hoqueta le rat-garou, en éventant son visage brûlant avec Frédéric, l'écureuil mort.

—Il s'est arrêté.

L'autre rat-garou rejoignit son ami sous le chêne et jeta un coup d'œil discret à l'énorme objet flottant au-dessus du champ à découvert.

—Voilà notre chance, dit-il en grognant et en passant sa langue épaisse sur ses dents pointues.

—Ne pourrions-nous pas nous reposer un peu? demanda le rat-garou, en continuant de s'éventer. Je suis épuisé après toute cette course.

– Mais ils sont juste à notre portée, rétorqua l'autre. Ils sont là et ils flottent au-dessus de nous en attendant qu'on leur saute dessus.

– Qu'on leur saute dessus, ah oui! dit le rat-garou fatigué entre deux bouffées d'air. J'ai vraiment besoin de souffler une minute avant de pouvoir leur sauter dessus.

Son camarade croisa ses bras poilus et le fusilla du regard. Une minute, seulement. Puis, nous passons à l'attaque.

Le rat-garou acquiesça, posa son derrière velu sur le sol de la forêt et s'adossa contre l'arbre. Est-ce que tu crois que Frédéric et moi avons assez de temps pour faire une petite sieste?

L'autre leva les yeux au ciel.

• • •

– Tout est vraiment très calme, dit Tom à leur arrivée dans le village.

Il n'y avait pas âme qui vive, même si c'était la fin de l'avant-midi, le moment de la journée où les magasins et le marché auraient dû être en plein effervescence.

– Regardez, dit Percival, en montrant un étalage du doigt.

Un homme et une femme, rappelant à Tom ses parents, dormaient profondément, recroquevillés sur le sol à côté d'une brouette remplie d'oignons. Ils gémissaient et s'agitaient convulsivement par moments, comme s'ils étaient sous l'emprise d'un cauchemar.

– Est-ce l'œuvre du Nacht? demanda Tom à Lorimar, sachant d'ores et déjà la réponse.

—Le Nacht est passé par ici, La femme-forêt parcourut les alentours des yeux, de longues racines sinueuses s'échappant de son corps et ondulant avec la brise.

—Est-il toujours ici? demanda Percival d'un ton inquiet, tout en serrant Susie un peu plus fort dans sa main.

Lorimar ne répondit pas tout de suite. Ses racines s'allongèrent encore, leurs contorsions rappelant à Tom les vers qui se tortillent et sortent de terre après une forte pluie.

—Oui, sa présence imprègne encore l'air, dit-elle enfin. Elle leva le bras et indiqua le marché. Là, dit-elle, presque en transe. La présence malfaisante du Nacht se trouve là.

—C'est probablement là que nous devrions aller, dit Tom après une légère hésitation. Il n'avait aucune idée d'où lui venait cette bravoure, mais il lui semblait simplement que c'était ce qu'il fallait faire. Bien que cela soit effrayant, c'était ce qu'il devait faire.

Tout en marchant, ils pouvaient voir d'autres signes de l'influence néfaste du Nacht; plusieurs personnes gisaient sur le sol, là où elles s'étaient tenues debout un moment plus tôt et dormaient d'un sommeil qui n'avait rien de naturel.

—Tout va bien aller pour eux, n'est-ce pas? demanda-t-il à Lorimar.

—Je n'en sais rien, répondit la femme-forêt. Tu sais notre quête ne fait que débuter.

—Splendide, souffla Percival. Ne mettez pas trop de pression sur nos épaules.

Tom comprenait très bien comment se sentait le représentant de la famille Bone. Il s'efforçait toujours de comprendre la raison pour laquelle le Rêve l'avait choisi pour être son champion. Toute cette histoire était pure folie.

Mais, pour le moment, il fallait qu'ils se portent au secours du prêtre guerrier et, de toute façon, qui étaient-ils pour oser contredire le Rêve?

Chaque bruit, même les plus ténus, étaient alarmants dans le silence qui régnait dans le village endormi, chaque craquement d'un volet, chaque cri d'oiseau les faisaient sursauter.

—Tu as dit que, dans ton rêve, le prêtre guerrier était retenu prisonnier dans une cellule? demanda Percival.

—Oui, répondit Tom. Alors, il faut trouver la prison du village.

Tandis qu'ils approchaient d'un bâtiment massif en pierre, ils entendirent le son étouffé de coups sourds et violents, suivis d'un hurlement de douleur irréel.

—Quelque chose me dit que nous avons trouvé l'endroit que nous cherchons, dit Percival. Sur une affiche peinte à la main et suspendue au-dessus du plancher de bois, on pouvait lire BUREAU DU CONSTABLE.

Plus ils se rapprochaient, plus le bruit de la bagarre était intense. Tom prit les devants et s'avança vers la porte avec précaution. D'après ce qu'il pouvait entendre, la bataille faisait rage à l'intérieur.

—Le maléfice est ici, dit Lorimar les yeux fixés sur la porte.

—Devrais-je frapper d'abord? demanda Tom, se retournant vers ses compagnons.

—Laisse-moi faire. Percival fut aussitôt à côté du garçon. Toc, toc, dit-il en donnant un magistral coup de pied pour enfoncer la porte.

La porte tourna sur ses gonds et alla frapper le mur derrière elle. Aussitôt, ils se précipitèrent dans la pièce.

Le mobilier de la prison avait été réduit en pièces, les meubles étaient renversés, plusieurs débris jonchaient le sol de la prison. Les cinq hommes au centre de la pièce se trouvaient engagés dans une lutte sans merci. Et il semblait que le combat se faisait à quatre contre un. Au bout d'un moment, Tom reconnut le prêtre Veni-Yan au cœur de la mêlée.

Le vieil homme se débrouillait plutôt bien, assénant des coups de pied et des coups de poing et envoyant valser ses assaillants, mais ceux-ci revenaient toujours à la charge, en dépit de la puissance de ses coups.

Puis, Tom les entendit parler.

—Rends-toi, le prêtre, dit l'un des hommes d'une voix qui leur parut si familière.

—Tu ne souffriras pas longtemps, grogna un autre, évoquant dans l'esprit du garçon les images des animaux morts rampant à l'orée de la forêt environnant la maison de ses parents.

—Il faut l'aider, murmura Tom pour lui-même, puis il répéta plus fort pour que tous ses amis puissent l'entendre. Il faut l'aider.

Percival hocha la tête, pointant Susie en direction du plafond.

—D'abord, attirons leur attention.

Le représentant de la famille Bone appuya sur la gâchette et, quand le tromblon tonna, Tom eut un mouvement de recul et vit que l'explosion de cette terrible arme avait troué le plafond.

L'explosion eut l'effet désiré.

—C'est le garçon! cria l'un des hommes et tous s'immobilisèrent, tournant des yeux brillants et noirs en direction des intrus.

—J'espérais justement que l'occasion se présenterait de nouveau, gronda un autre des hommes.

—Je me charge du vieil homme, dit le plus grand, celui qui portait une moustache frisée. Vous trois, occupez-vous du garçon et de ses amis.

—D'accord, dit Tom. Il semble que nous ayons toute leur attention maintenant, que faisons-nous?

Ils avaient réussi à renverser le prêtre par terre, celui-ci releva cependant la tête. Ses doux yeux bruns rencontrèrent ceux de Tom, et le garçon sentit instantanément le lien qui les unissait. Il avait devant lui l'homme qui devait les accompagner dans leur quête.

—Courez, lança l'homme en se remettant debout. Courez, sauvez-vous!

—En entendant le bruit de la porte qui se refermait derrière eux, ils se retournèrent brusquement et virent que l'un des possédés affichait un large sourire, et restait collé à la verticale sur la porte, comme une gigantesque araignée.

—Vous n'irez nulle part, lâcha-t-il, les yeux humides et luisants. Le Nacht a un plan en réserve pour vous tous.

–Hé! il ne faut pas les manger, dit Barclay à Roderick. Le raton laveur avait découvert une caisse de pommes de terre ouverte et en avait profité pour se servir.

–Pourquoi? demanda-t-il entre deux bouchées.

–Parce que nous les utilisons comme carburant pour les moteurs de la *Reine des airs*, expliqua le jeune Bone. Si tu manges toutes les pommes de terre, nous ne pourrons plus faire tourner les hélices et nous ne pourrons plus allumer les lumières.

Roderick regarda fixement la moitié de pomme de terre qu'il avait dans la main.

–Est-ce que je peux, au moins, terminer celle-ci? demanda-t-il. Je suis affamé, moi.

Comme pour lui donner la réplique, l'estomac de Barclay émit un gargouillis.

–Oui, moi aussi j'ai faim.

Le raton laveur lui offrit sa pomme de terre. Tu en veux une bouchée?

Le garçon réfléchit un moment avant de la prendre.

–Bien sûr, dit-il. Après cela, nous allons descendre dans la cale pour voir s'il y a quelques craquelins.

–J'adore les craquelins, dit Roderick avant de reprendre sa pomme de terre.

Abbey surgit du poste de barre, tout en continuant de balayer le pont du vaisseau, lorsqu'elle les remarqua.

—Hé, que faites-vous tous les deux? demanda-t-elle. Elle laissa tomber son balai et s'approcha, l'air mauvais.

—Rien du tout, répondit Barclay.

—Rien *tut t'fou*, ajouta Roderick, la bouche pleine de pomme de terre.

—Serais-tu en train de manger une pomme de terre, par hasard? demanda-t-elle en montrant le petit morceau qui se trouvait toujours dans la patte de Roderick. Oncle Percival va être très fâché quand il s'apercevra que tu as mangé toute la source de carburant du vaisseau.

—Je lui ai déjà expliqué tout cela, dit Barclay, prenant la défense de son ami. Il ne le refera plus. En fait, nous étions justement sur le point d'aller chercher des craquelins… Viens, Roderick.

Les deux amis allaient partir quand Abbey leur barra le chemin.

—Vous n'irez nulle part, dit-elle avec une forte autorité. Il y a du ménage à faire.

—Du ménage! s'exclamèrent Roderick et Barclay à l'unison.

—Ouais. Abbey reprit le balai sur le pont et le tendit à son frère. Oncle Percy m'a confié la responsabilité du vaisseau, et je vous dis qu'il y a du ménage à faire.

Barclay refusa catégoriquement de prendre le balai.

—Il ne t'a pas confié la responsabilité du vaisseau, cria le garçon. S'il avait voulu le faire, il me l'aurait confiée à moi.

– C'est faux ! grinça Abbey. Je suis la plus vieille et c'est à moi que revient cette responsabilité.

– Mais tu ne sais pas comment faire voler la *Reine des airs*, alors que, moi, je le sais.

– Je suis parfaitement capable de faire voler la *Reine des airs*, protesta Abbey.

– Ah oui ? dit Barclay. Alors, si tu es si intelligente, montre-moi.

Indignée, sa sœur fit volte-face et se mit à marcher sur le pont, Barclay et Roderick sur ses talons.

Oncle Percy m'a montré comment faire voler la *Reine des airs* à plusieurs reprises, dit Abbey en entrant dans le poste de barre.

– Ce n'est pas vrai, insista Barclay. Tu étais toujours trop occupée à jouer à tes stupides jeux de poupées, à organiser des réceptions et à servir le thé.

– On voit bien que tu n'as pas fait attention, Oncle Percy venait souvent prendre le thé lors de mes réceptions et, après le thé, il me montrait, à moi, et à mes poupées, comment faire voler la *Reine des airs*.

– Tu n'es qu'une menteuse ! cria Barclay.

– C'est faux ! hurla Abbey.

– Alors, montre-moi ! ordonna Barclay. Si tu es si intelligente, montre-moi comment faire voler la *Reine des airs*.

Abbey se retourna face aux commandes.

—Humm, les amis? intervint Roderick. Je ne me souviens pas à qui Percival a confié la responsabilité du vaisseau, mais je me rappelle très bien qu'il ait demandé qu'on ne touche à rien.

Barclay se tourna vers le raton laveur avec un sourire suffisant.

—Ne t'en fais pas, Roderick, dit-il. Elle ne sait absolument pas comment faire voler ce vaisseau.

Abbey s'approcha du poste de contrôle de la *Reine des airs* et examina les boutons et les instruments de vol. Elle tendit la main, puis hésita, les doigts suspendus au-dessus d'une partie des boutons et des commandes.

—Tu vois, je te l'avais bien dit, tu ne sais pas comment faire, la railla Barclay.

Il n'en fallait pas plus pour qu'elle se décide.

Abbey tendit la main et commença à actionner les commutateurs, et les lumières du tableau de bord de la *Reine des airs* se colorèrent en rouge. Puis, elle tourna tous les boutons à droite.

Un tremblement secoua tout le vaisseau du ciel en suspens et Abbey, Barclay et Roderick perdirent l'équilibre, alors que la *Reine des airs* se mettait à flotter dans les airs.

—Tu vois? dit fièrement Abbey. Je te l'avais bien dit que je pouvait le faire voler.

—D'accord, d'accord, arrête-le, maintenant, dit Barclay, soudain soucieux.

Une expression inquiète apparut sur le visage de sa sœur.

—Que se passe-t-il? demanda Barclay. Qu'y a-t-il?

—Je ne sais pas comment l'arrêter, dit-elle, en sentant la panique s'emparer d'elle.

—Comment cela, tu ne sais pas comment l'arrêter? s'exclama Barclay. Je croyais que tu savais comment le faire voler!

—Je croyais que *tu* savais comment le faire voler! plaida Abbey.

—Depuis quand crois-tu ce que je dis? répondit Barclay, en sautant sur place devant le tableau de bord dont tous les voyants étaient maintenant allumés.

Roderick était coincé entre les deux jumeaux qui paniquaient.

—Il faut faire quelque chose, dit-il, en grimpant sur le rebord du panneau de commande. Est-ce ce bouton?

—Celui-là? demanda Abbey. Roderick hocha la tête et elle appuya dessus.

Le vaisseau fut secoué d'un autre tremblement et ils entendirent un sifflement strident. La *Reine des airs* commença à s'élever plus rapidement.

—Pourquoi as-tu fait cela? s'exclama Barclay. Maintenant, nous allons continuer de monter jusqu'à la Lune… et je ne veux pas aller dans la Lune! Il regarda au-dessus de leur tête, vit une série de boutons, tendit la main et fit pivoter celui du milieu. De nouveau, un énorme sifflement se fit entendre, comme s'il s'agissait d'un serpent, et ils sentirent que la *Reine des airs* amorçait la descente.

—Voilà, maintenant nous n'avons plus qu'à éteindre les moteurs, dit Barclay, en poussant sa sœur de la hanche pour prendre sa place. Abbey ne voulait rien entendre, elle le saisit à bras-le-corps et leur lutte fit perdre l'équilibre à Roderick, toujours perché sur le tableau de bord.

—Attention, vous deux! glapit-il.

Le raton laveur essaya de ne rien toucher, mais, en s'efforçant de ne pas tomber, il poussa accidentellement un bouton et actionna un interrupteur ou deux avec le pied. Et, tandis qu'Abbey et Barclay continuaient à se battre, à se pousser et à se flanquer des gifles, la *Reine des airs* glissa vers l'avant à une vitesse toujours croissante.

Et sans pilote à la barre.

Il s'en va! brailla le rat-garou, agitant frénétiquement l'écureuil mort qu'il enserrait dans sa main griffue.

—Mais, regarde, dit l'autre rat-garou. Il a une queue.

Ils virent que, tandis que le vaisseau à la dérive amorçait sa montée et poursuivait sa course vers l'avant, il traînait aussi derrière lui un câble d'une bonne longueur auquel était attachée une lourde pièce de métal.

—Nous pourrions l'utiliser pour le capturer, dit le rat-garou, en tapotant la tête de Frédéric dans la paume de sa main. Ensuite, nous pourrions les donner en cadeau au roi, et tous nos ennuis seraient résolus.

—Oui, siffla l'autre, les yeux toujours fixés sur le vaisseau glissant dans le ciel. Mais, nos problèmes ne seront pas résolus si nous le laissons s'échapper.

–Vite, dit le rat-garou, surgissant de sa cachette. Il ne faut pas laisser notre butin s'échapper.

L'autre rat-garou le suivit, les yeux fixés sur l'ancre du vaisseau qui, en traînant sur le sol, arrachait ici et là la terre derrière lui.

–Attrape-le! pleurnichait le rat-garou. Je n'ai qu'une main!

–Alors, laisse tomber ton écureuil, rétorquait l'autre.

–Je ne ferai rien de tel; Frédéric et moi, nous sommes faits l'un pour l'autre.

Le vaisseau du ciel commença à s'élever encore plus dans les airs, se balançant légèrement en raison du poids de l'ancre.

–Il nous échappe! râlait le rat-garou.

–Pas à moi, non, grogna l'autre, qui banda ses muscles et sauta. Saisissant l'ancre, il s'y agrippa de toutes ses forces. Je l'ai! cria-t-il, victorieux.

–Il ne s'arrête pas, cria le rat-garou, essayant frénétiquement de suivre son ami, qui commençait maintenant à être soulevé dans les airs.

L'autre rat-garou lui tendit la main. Vite, attrape ma patte!

Le rat-garou mit délicatement Frédéric dans sa bouche et sauta, saisissant le bras tendu de son camarade des deux mains.

En quelques secondes, ils s'élevèrent tous deux haut au-dessus du sol, s'accrochant au câble comme si leur vie en dépendait.

– Ça ne s'est pas passé comme je l'avais prévu, dit le rat-garou.

– Parfois, nous sommes tellement stupides que je suis surpris que nous ayons réussi à survivre si longtemps, dit l'autre avec dégoût.

CHAPITRE 12

Tom n'avait jamais été aussi terrifié.

Les hommes aux yeux d'ombre commencèrent à les encercler. Leur peau était incroyablement pâle, comme si toute couleur en avait été retirée, et leur démarche, raide et saccadée, n'avait rien de naturel. Tout comme leur capacité à grimper sur les murs comme des mouches géantes.

Le prêtre Veni-Yan se tenait debout à côté de Tom et de ses compagnons, immobile, tandis que les monstres – on ne pouvait vraiment plus les qualifier d'hommes – les observaient d'un air menaçant. Le prêtre avait l'air fatigué et les traits hagards qu'on discernait sous ses yeux témoignaient de son âge. Ce n'était pas à ce genre de personne que Tom aurait pensé pour l'accompagner dans sa quête, mais il pensait la même chose de lui-même et de tous ceux qui avaient été choisis par le Rêve. Après tout, qui était-il pour décider?

–Que fais-tu ici, mon garçon? demanda le prêtre, les yeux fixés sur les êtres menaçants qui les encerclaient de plus en plus étroitement.

—Nous sommes venus à votre secours, dit Tom, s'efforçant de parler d'une voix calme et forte.

—À mon secours? interrogea le prêtre avec un rire narquois. Et pourquoi agirais-tu de manière aussi folle?

—Parce que le Rêve me l'a demandé.

Le prêtre étudia le garçon pendant un instant. Le Rêve, dis-tu?

Tom allait répondre quand le chef des monstres, celui qui arborait l'insigne de constable, parla.

—Tu ne peux pas faire confiance au Rêve, dit le constable avec un sourire démoniaque. Regarde tous les ennuis qu'il t'a occasionnés.

—Nous t'avions averti, Tom, dit un des adjoints depuis sa position verticale sur le mur. D'abord ta famille, et maintenant tous les habitants de ce village souffrent à cause de toi.

Ces paroles le piquèrent au vif.

—Ne les écoute pas, Tom, dit Lorimar, en mettant sur son épaule une main noueuse composée d'écorccs. N'oublic pas qu'il est dans leur intérêt de semer le doute dans ton esprit.

—Tout cela est entièrement de ta faute. Si tu avais fait ce que nous t'avions dit et mis un terme à toute cette folle quête, cela ne serait pas arrivé, intervint un autre adjoint.

—Et, maintenant, nous allons tous vous faire regretter d'être venus, les prévint un troisième.

Les monstres se rapprochèrent, celui qui était demeuré collé au mur sauta sur le plancher pour se joindre à ses frères.

Tom savait que le temps pressait.

— C'est ce qui se produit quand on n'écoute pas les plus vieux que soi, dit le constable tandis que, un par un, chacun des monstres tirait son épée.

— Susie n'aurait-elle pas quelque chose à ajouter? demanda à Percival un Tom inquiet.

— Hé bien, c'est un peu embarrassant, dit le représentant de la famille Bone, fouillant frénétiquement les multiples poches de sa chemise. Mais, je dois dire que je n'ai plus de munitions. Il semble que j'avais apporté des balles seulement pour un tir.

— Un seul tir? s'exclama Tom incrédule. À quoi peut bien servir une arme qui ne peut tirer qu'une fois?

— En général, un seul tir suffit.

— Lorimar, s'enquit Tom, avez-vous une idée?

— Reste près de moi, ordonna soudain la femme-forêt.

En entendant sa voix, les monstres réagirent aussitôt.

— Ne vous mêlez pas de cela, esprit, la prévint le constable. Vous avez déjà suffisamment d'ennuis pour le moment.

Dédaignant ces avertissements, la femme-forêt tendit des doigts semblables à des rameaux vers le plancher. Elle ferma les yeux et la mousse formant ses lèvres remua en silence.

Les monstres s'élancèrent, leur arme brandie et prête à frapper, quand, brusquement, le sol se mit à trembler violemment. Tom en eut le souffle coupé et il sentit que quelque chose bougeait sous le plancher en bois.

—Reste près de moi, l'avertit de nouveau Lorimar. Le plancher craquait et gémissait et une force poussait et fracassait les épaisses lattes de bois.

Tom n'en croyait pas ses yeux lorsqu'il vit brusquement un arbre surgir au milieu du plancher de la pièce, ses branches grossissaient, se remplissaient de feuilles vertes, et il atteignit bientôt sa maturité sous leurs yeux. L'arbre continuait de grandir toujours plus haut, si bien que, quelques instants plus tard, ses branches exercèrent une forte pression contre le plafond de la prison, jusqu'à ce qu'il le défonce et poursuive sa course à l'air libre en laissant filtrer la lumière du jour.

—Qu'est-ce que c'est que ça? dit Percival stupéfait.

—Grimpez, les somma la femme-forêt.

—On ne me le dira pas deux fois, dit Percival Bone. Il agrippa une des branches basses et commença à se hisser le long du tronc de l'arbre.

C'est alors que les monstres comprirent ce qu'ils faisaient.

—Arrêtez-les! aboya le constable.

Les monstres s'élancèrent vers l'arbre, mais Lorimar n'en avait pas fini avec eux. Elle agita les bras et de grosses branches puissantes jaillirent du tronc, érigeant une puissante barrière entre les monstres et eux.

—Vite, maintenant, les pressa-t-elle.

Tom saisit le bras du guerrier Veni-Yan et le tira en direction de l'arbre. Pouvez-vous grimper? demanda-t-il.

Le vieil homme sourit. Cela remonte à bien des années, mais je ne pense pas avoir oublié.

Tom fut surpris par l'agilité du vieux prêtre, tandis qu'il suivait Percival dans les hauteurs de l'arbre et se rapprochait toujours de l'ouverture au plafond de la prison.

–Venez, Lorimar, c'est à vous, dit Tom à la femme-forêt.

–Ne vous souciez pas de moi, dit-elle, amorçant un geste pour grimper.

Il se préparait à lui répondre lorsqu'il vit son corps se désintégrer de nouveau et les feuilles, la terre, les pierres et les brindilles tomber sur le sol. Tom n'avait pas le temps de se demander où elle était passée. Il se retourna vers l'arbre, et constata que les monstres se servaient de leur épée pour se frayer un chemin à travers les branches épaisses qui leur barrait la voie.

Jetant un coup d'œil vers le bas tout en grimpant, Tom vit que deux des montres avaient déjà dégagé le passage et commençaient à grimper dans l'arbre derrière eux. Les pensées de Tom s'accélérèrent. *Où irons-nous une fois sur le toit de la prison? Nous ne pourrons pas contenir les soldats du Nacht encore longtemps.* Il se hissa hors de l'ouverture béante et se retrouva sur le toit de la prison, espérant vivement un miracle.

–Où est la femme-forêt? demanda Percival.

–Elle a fait ce qu'elle fait toujours, dit Tom. Elle m'a dit de ne pas m'inquiéter pour elle et elle s'est désintégrée.

–J'aimerais bien pouvoir faire la même chose en ce moment, ajouta Percival au moment où le premier monstre émergeait de l'ouverture.

—Vous ne nous échapperez pas, brama le monstre.

—Ça ne nous fera pas de mal d'essayer, dit Percival en se hâtant vers l'endroit où venait de surgir la tête du monstre.

—Pouvez-vous m'aider? demanda le monstre, en se retournant vers Percival.

—Pas de problème, répliqua le représentant de la famille Bone. Il ôta Susie de son épaule et, s'en servant comme d'un bâton, il frappa l'ennemi sur la tête. Le monstre recula en criant de douleur et se heurta à l'autre homme du Nacht, lui aussi perché dans l'arbre.

—Cela devrait nous donner un peu de temps, dit Percival, en remettant Susie à sa place sur son épaule.

—Du temps pour quoi? demanda le prêtre Veni-Yan. Nous ne faisons que retarder l'inévitable. Il se tenait au bord du toit, observant le reste du village.

Les cris de rage du constable leur parvenaient d'en dessous et Tom, jetant un coup d'œil dans l'ouverture béante, vit que les deux monstres avaient repris leur ascension.

—Réfléchissons! dit-il. Il doit y avoir un moyen de s'en sortir. Le Rêve ne nous aurait pas accordé sa confiance si nous n'étions pas capables de nous sortir du pétrin.

Percival commença à marcher.

—Le garçon a raison, dit-il. L'aventurier se gratta le menton en faisant les cent pas. Réfléchis, Percival, réfléchis.

—Pensez vite, nous n'avons plus de temps, le pressa Tom.

—C'est sans issue, dit le prêtre Veni-Yan, en lançant les bras en l'air. Il ne va pas nous pousser des ailes et nous n'allons pas nous envoler tout de même!

Tom ne voulait surtout pas que le vieil homme ait raison, mais il éprouvait une grande frustration et il se sentait sur le point d'abandonner.

C'est alors qu'il le vit. Au début, il crut que c'était un oiseau – un très gros oiseau, puis, à mesure qu'il se rapprochait, il sut que c'était la solution à leurs problèmes.

La *Reine des airs* flottait tranquillement et dérivait lentement vers eux.

—Non, il ne nous poussera pas des ailes, acquiesça Tom. Mais, quelle pourrait être l'autre solution?

Il voyait bien que le prêtre guerrier était déconcerté et, au moment où Percival allait lui demander ce qu'il voulait dire, Tom pointa en direction du vaisseau.

—Regardez-moi ça! s'exclama l'aventurier de la famille Bone en exécutant quelques pas de danse. Je ne vais même pas chercher à savoir comment c'est possible, ce serait vraiment un peu déplacé.

Tom et Percival coururent au bord du bâtiment au moment où le guerrier Veni-Yan se retournait pour voir ce qui retenait leur attention.

—Par la barbe du Dragon rouge, qu'est-ce que c'est que ça? demanda-t-il stupéfait.

—C'est notre billet pour la liberté, dit Percival, en agitant la main à l'intention du vaisseau qui dérivait dans leur direction.

Tom commença à faire des signes de la main, mais il fut aussitôt distrait par la vue de l'ancre qui pendait toujours sous le vaisseau du ciel et, surtout, par ce qui y était désespérément agrippé.

—Qu'est-ce que c'est que ça? demanda Tom.

—Qu'est-ce qui est quoi? demanda Percival.

—Là, au bout de l'ancre.

L'aventurier regarda du coin de l'œil tandis que le vaisseau s'approchait.

—Alors là, je n'en crois pas mes yeux, dit-il.

—Des rats-garous, gronda le prêtre Veni-Yan.

—Comment se peut-il qu'ils se soient retrouvés là? demanda Percival.

Tom n'en avait pas la moindre idée. Comment était-il possible que deux rats-garous soient pendus au bout de l'ancre de la *Reine des airs*.

Et, Abbey, Barclay et Roderick étaient-ils au courant?

Roderick galopa sur le pont en bois et sauta sur l'étrave du vaisseau.

. . .

—Je vois Trumble! Il tourna la tête. Là, juste devant nous! cria-t-il à l'intention de ses amis dans le poste de barre.

Abbey sortit la tête et leva son pouce.

Il semblait que les jumeaux commençaient à comprendre comment faire voler le vaisseau du ciel et, s'ils pouvaient arrêter de se quereller et de se chamailler pendant cinq secondes, tout irait pour le mieux.

Roderick regarda au loin, dans le village au-dessous, et il constata avec surprise qu'il ne décelait aucune activité autour des habitations. *Curieux*, se dit le raton laveur, mais son attention s'attarda aussitôt à de tout autres pensées. Il voulut savoir qu'est-ce qu'il pourrait bien trouver à manger au marché.

Juste à cet instant, son estomac produisit un gargouillis sonore.

Finalement, il n'avait jamais eu l'occasion de se délecter des craquelins que Barclay avait promis de trouver, et le souvenir des pommes de terre lui revint. Peut-être que, après une autre pomme de terre, il se sentirait mieux. Il vérifia que les jumeaux ne regardaient pas dans sa direction, puis sauta sur le pont et se glissa jusqu'à la boîte où étaient rangées les pommes de terre. Il souleva le couvercle en silence, choisit une belle pomme de terre ronde et retourna s'installer à l'avant du vaisseau. Il retira un peu de terre du précieux tubercule et prit une bonne bouchée.

Tout en mâchant, il perçut un mouvement au-dessous du vaisseau. Trois silhouettes se tenaient debout sur le toit d'un bâtiment à travers lequel poussait un arbre. *Voilà qui est bizarre*, pensa le raton laveur, s'efforçant de se rappeler la dernière fois qu'il avait vu un arbre pousser de cette manière.

Une des silhouettes lui faisait des signaux de la main et sautait vivement sur place. Roderick agita lui aussi joyeusement la main. *Ils ont l'air d'être très accueillants dans ce village*, pensa-t-il, en prenant une autre bouchée de son goûter.

Quand le vaisseau se trouva encore plus près, il put discerner un garçon, un homme plus âgé et un membre de la famille Bone. *Quelle coïncidence*, pensa le raton laveur, la bouche ouverte, immobile, savourant le plaisir que lui procurait la vue de la pomme de terre dans sa main. *Quand je vais raconter tout cela à Tom et à Percival…*

—Hé! une seconde, mais *c'est* Tom et Percival! s'exclama brusquement le petit raton, agitant frénétiquement la main. Hé, les amis, nous voici!

—Pourquoi cries-tu comme cela? demanda Abbey, surgissant du poste de barre.

—Les amis sont là, dit Roderick en montrant du doigt. Ils sont devant nous, sur le toit là-bas, celui au travers duquel pousse un arbre.

Elle regarda dans la direction indiquée et se mit à agiter la main.

—Ils ont vraiment l'air d'être content de nous voir, dit-elle. J'aurais plutôt pensé qu'ils seraient fâchés.

Roderick dansait sur le pont, agitant les bras au-dessus de sa tête et imitant les pas de danse qu'il avait vu Tom et Percival faire sur le toit devant eux. Il prit une énorme bouchée de sa pomme de terre en balançant les hanches.

—Hé, qu'est-ce que tu manges? demanda Abbey, d'une voix soudain cassante. Roderick tenta de cacher le reste de légume derrière son dos, mais il lui échappa des mains.

– Est-ce une pomme de terre? demanda Abbey. Qu'est-ce que nous t'avons dit à propos des pommes de terre! Il ne faut pas les manger.

Ignorant les récriminations de la jeune représentante de la famille Bone, Roderick fit volte-face et se pencha au-dessus de l'étrave du vaisseau, afin de récupérer son précieux goûter avant qu'il ne disparaisse. Mais, il ne fut pas assez rapide et ne put que voir la pomme de terre tomber sur la tête d'un des deux rats-garous suspendus à l'ancre du vaisseau, avant de poursuivre sa course jusqu'au sol loin en bas.

Des rats-garous!

Roderick laissa échapper un cri strident et s'éloigna du rebord de la *Reine des airs*.

Tu peux bien crier tant que tu veux, dit Abbey. Tu viens de gaspiller une pomme de terre en parfait état.

Roderick était tellement effrayé qu'il n'arrivait pas à parler. Sa bouche articulait, mais aucun son n'en sortait, tandis qu'il essayait fiévreusement d'attirer leur attention sur la coque du vaisseau.

– Qu'essayes-tu de nous dire? demanda-t-elle. Je t'ai vu la jeter, alors, inutile de pleurer maintenant; tu dois t'assurer que..., commença Abbey, puis elle s'arrêta et, penchant la tête au-dessus du vide, elle les vit, ces grosses créatures, méchantes et velues, agrippées au câble retenant l'ancre de leur vaisseau du ciel.

Et, elle se mit aussitôt à crier, et crier, et crier encore...

· · ·

—La voilà, dit Percival, en fronçant les sourcils et en enfonçant ses doigts dans ses oreilles.

Tom fit la grimace lui aussi. On paniquait à bord de la *Reine
des airs*, mais il avait d'autres problèmes à régler pour le
moment.

Debout au bord du toit, il jeta un coup d'œil en bas. Le
constable et ses monstrueux adjoints s'étaient rassemblés à
l'extérieur de la prison et il semblait bien qu'ils caressaient un
autre plan pour l'instant. Ils traînaient derrière eux des bottes
de foin depuis la place du marché et les alignaient contre la
fondation du bâtiment.

—Ça ne me dit rien qu'y vaille, dit Tom.

Regardant vers le haut, il vit que la *Reine des airs* se rapprochait toujours un peu plus. Il pouvait discerner la silhouette
d'Abbey et de Roderick qui couraient en tous sens, complètement paniqués à la suite de la découverte des passagers
clandestins poilus.

Tom sentit une odeur de brûlé et il regarda vers le bas alors
qu'on mettait le feu à la première botte de foin. Des langues
de feu de couleur orange léchaient déjà les murs de la prison
et s'élevèrent rapidement dans les airs.

—Ces types-là sont sérieux, dit Percival.

—Quoi que ce soit qui ait pris possession d'eux provient
certainement de l'influence maléfique la plus noire, ajouta le
prêtre Veni-Yan. La profondeur de leur dépravation ne
connaît pas de limite.

Pendant qu'une fumée noire flottait vers le ciel, ils furent distraits par de nouveaux cris. Cette fois, il ne s'agissait plus d'Abbey, mais bien des rats-garous qui se balançaient au bout du câble retenant l'ancre de la *Reine des airs*.

Ils criaient parce qu'on les attaquait.

– Il faut les faire tomber! glapissait Roderick.

Abbey, dans un état de panique total, s'était réfugiée le plus loin possible de l'étrave du vaisseau.

– Mais, qui sont ces créatures? demanda-t-elle, d'une voix tremblante de peur.

– Ce sont des rats-garous, dit Roderick. Ce sont d'horribles monstres qui vous mangeront s'ils réussissent à monter à bord du vaisseau.

– Il faut s'en débarrasser! dit-elle, en sautant anxieusement sur place.

– Absolument! dit Roderick. Il faut seulement trouver un moyen. Il jeta un coup d'œil autour du vaisseau.

– Vite! dit Abbey. Je ne veux pas que ces créatures me mangent.

– J'ai trouvé, dit Roderick.

Barclay surgit du poste de barre. Que se passe-t-il? demanda-t-il. Pensez-vous que c'est facile de faire voler un vaisseau avec tout ce raffut?

– Nous avons des rats-garous, dit Abbey.

–Nous avons quoi? demanda le fils de la famille Bone, un peu perplexe. Il regarda Roderick, qui pointait le doigt en bas de la coque de la *Reine des airs*.

–Jette un coup d'œil, dit le raton laveur.

–Je vous laisse seuls quelques minutes tous les deux et… commença à dire Barclay en les rejoignant.

Les deux créatures velues regardaient en haut, dans leur direction, et l'une d'elles leur faisait même un signe de la main.

–AAAAAHH! cria Barclay, en se reculant.

–Je te l'avais bien dit, intervint Roderick.

–Nous avons des rats-garous, mais il faut s'en débarrasser.

Abbey continuait de paniquer.

–Que faut-il faire? demanda Barclay, tout autant en état de panique

–Nous devrions leur lancer des objets jusqu'à ce qu'ils tombent, expliqua le raton laveur.

–Quelle sorte d'objets? demanda Abbey.

Roderick se laissa tomber à quatre pattes et courut derrière le poste de barre. Il réapparut rapidement, traînant derrière lui une caisse de bois remplie de pommes de terre.

–On ne peut pas lancer ça, protesta Abbey. Comment allons-nous alimenter les moteurs ensuite?

—Il y a d'autres caisses semblables dans la cale, mais ne nous soucions pas de ça pour l'instant, dit Roderick, une pomme de terre dans chaque main.

Barclay s'arma, lui aussi, puis ce fut le tour d'Abbey.

—Oncle Percival ne sera pas très content de tout cela, les prévint-t-elle.

—Alors, assure-toi que chaque coup porte, dit le raton laveur, en pivotant pour s'élancer vers le rebord du vaisseau.

—Voilà pour toi! cria-t-elle, en envoyant voler la première pomme de terre en direction des cibles velues. Celle-là est pour ma mère, gronda-t-elle tandis qu'elle frappait l'un des rats-garous au visage.

—Et celle-ci est pour mon père! La deuxième pomme de terre rebondit sur la tête de l'autre créature.

Le rat-garou tenait bon, mais il restait heureusement encore beaucoup de pommes de terre à lancer.

CHAPITRE 13

Le chaos régnait à bord de la *Reine des airs*.

Le vaisseau du ciel avait ralenti sa course et Percival se dit que le pilotage automatique du vaisseau devait être activé.

Tom et lui pouvaient voir Roderick, Abbey et Barclay courir sur le pont, se pencher et lancer tour à tour des objets sous le vaisseau afin de déloger les rats-garous de leur perchoir.

— Au nom de tous les haricots frits de la terre, j'aimerais bien savoir ce qu'ils lancent, ronchonna Percival.

— Ça ressemble à des pierres, dit Tom, en jetant un coup d'œil.

— De grosses pierres? demanda Percival. Mais, où diable ont-ils trouvé ces grosses pierres à bord de la *Reine des airs*, à moins que… L'aventurier de la famille Bone fit une pause avant que la lumière se fasse dans son esprit. Ils jettent mes pommes de terre, cria-t-il.

Percival courut et s'arrêta tout au bord du toit. Il entreprit de chasser la fumée noire qui s'échappait du bâtiment en flammes. Hé, les enfants, arrêtez de leur lancer mes patates tout de suite, beugla-t-il. M'entendez-vous?

Le bâtiment se mit à craquer et à gémir alors que le feu dévorait avidement ses fondations et ses colonnes. Puis, soudainement, une énorme langue de feu gronda sur le côté de l'édifice, renversant presque Percival sur le toit. Tom réussit à l'agripper au collet et à le hisser de nouveau sur le toit.

—Merci, dit l'aventurier, en tapotant sa veste pour en extraire la poussière. Juste à temps! Il était moins une.

—Il va être trop tard pour tout le monde, si nous ne réussissons pas à déguerpir de ce toit, dit Tom.

La *Reine des airs* s'était encore approchée, mais le vaisseau demeurait hors de portée.

Et les flammes commençaient à s'élever dangereusement, elles enflammaient maintenant les quatre côtés de la prison et les encerclaient. Une secousse ébranla la bâtisse et Tom sut que le toit recouvrant toute la prison allait s'effondrer sous peu. Instinctivement, il tendit la main et saisit ce qu'autrefois il croyait être sa pierre chanceuse.

—Je sais que tu m'as choisi pour que je sois ton champion et tout cela, et je m'efforce de ne pas te décevoir, mais nous avons vraiment besoin de ton aide, dit Tom, aux prises avec des flammes toujours plus hautes et plus ardentes, en attendant d'obtenir une réponse.

. . .

Barclay revint sur le pont en portant une autre caisse.

—En voici d'autres, dit-il, en repoussant le lourd couvercle de bois qui émit un craquement sonore. Roderick et Abbey coururent vers la caisse pour y prendre une bonne poignée des munitions improvisées.

–Je crois que j'en ai vu un commencer à perdre pied, dit le raton laveur en reprenant sa place à l'extrémité du pont.

–Lequel? demanda Abbey. C'est celui-là que je vais viser, moi aussi.

Barclay saisit quelques pommes de terre et se joignit à eux.

–Nous devrions tous leur jeter nos pommes de terre en même temps et...

–Barclay, cria une petite voix étrange.

Le garçon s'immobilisa et regarda autour de lui. Allô!

–Barclay, dit encore la voix.

–Où êtes-vous? demanda-t-il. Il avait reconnu la voix de la femme-forêt, mais il n'arrivait pas à identifier sa provenance. Je ne vous vois pas.

–Dans ta main, lui indiqua la voix.

Barclay regarda la pomme de terre qu'il tenait dans sa main et sursauta violemment. Un visage apparaissait à la surface d'un des légumes bosselés, un visage qu'il reconnaissait comme appartenant à cette étrange femme-forêt qu'on appelait Lorimar.

–Hé! comment se fait-il que votre visage soit sur ma pomme de terre? demanda Barclay stupéfait.

–Je possède la maîtrise de tout ce qui s'apparente à des racines, des plantes grimpantes ou à de la terre, dit Lorimar.

Mais, nous n'avons pas beaucoup de temps pour toutes ces explications.

Barclay tenait la pomme de terre à la hauteur de sa tête afin que sa sœur et ses amis puissent la voir.

Hé, les amis, interpela Barclay. Abbey et Roderick abandonnèrent leurs cibles et s'approchèrent.

—Est-ce Lorimar? s'enquit le raton laveur en tendant la patte.

—N'y touche pas, dit Barclay, en retirant sa main. Je crois qu'elle a quelque chose d'important à nous dire.

—Ne vous inquiétez pas des rats-garous, dit-elle. Vite, récupérons plutôt Tom Elm et ses amis, parce qu'ils sont en danger.

Barclay tendit la pomme de terre à sa sœur.

—Tiens-moi ceci, dit-il.

Il se dirigea vers le poste de barre et regarda en direction du village. Pour la première fois, il remarqua l'épaisse fumée noire et les flammes qui avaient envahi le bâtiment au-dessous. Et ses amis prisonniers sur le toit.

—Oh, mon Dieu, s'exclama-t-il, en courant jusqu'au poste de barre où il désactiva le pilotage automatique. Ses petites mains parcouraient le tableau de bord, s'efforçant désespérément de retrouver ce qu'il avait réussi à maîtriser au cours des dernières heures.

Il espérait aussi qu'il n'était pas trop tard.

. . .

Le constable sourit en voyant les flammes s'élever de plus en plus haut dans les airs. Le Nacht avait été très clair : ils devaient absolument s'assurer que le garçon et l'ancien guerrier ne poursuive pas leur quête, et ils avaient déjà échoué une fois puisqu'ils n'avaient pas réussi à arrêter Tom Elm. Il ne fallait pas que le Spark soit reconstitué, parce que cela entraînerait certainement la fin de ses frères d'esprit et de leur glorieux maître, le Nacht. Observant la construction en flammes, il avait toute confiance que, aujourd'hui enfin, ses frères et lui réussiraient leur mission.

Ils ne décevraient pas leur maître une autre fois.

Le feu faisait rage et, à cause de l'épaisse fumée noire, il avait perdu de vue ses adversaires pris au piège sur le toit. Il les imaginait, effrayés et se maudissant d'avoir pensé qu'ils pouvaient s'opposer au pouvoir du Nacht.

Le bâtiment gémissait, succombant progressivement à la morsure des flammes. Sous peu, la prison tout entière s'affaisserait.

Les frères spirituels du constable le rejoignirent, savourant leur victoire sur les jeunes héros. C'est alors que le constable l'entendit, le son le plus doux à ses oreilles, un bourdonnement s'apparentant au chant de milliers d'abeilles. Il venait sur eux et, quittant le feu des yeux, il se retourna et fut stupéfait par ce qu'il vit.

—Qu'est-ce que c'est que ça? s'exclama un de ses frères, tandis qu'ils gardaient les yeux rivés sur l'immense vaisseau dérivant au-dessus d'eux.

—Et, qu'est-ce que c'est que ça? demanda un autre, pointant son doigt en direction des deux créatures velues suspendues sous le majestueux vaisseau en bois.

Le constable réalisa tout à coup que les choses allaient bientôt se gâter.

. . .

—Il faut que tu fasses ce que je t'ai dit, dit Lorimar dont le visage apparaissait toujours à la surface de la pomme de terre que tenait Abbey dans sa main.

—Je n'avais jamais discuté avec une pomme de terre auparavant, se dit la fillette. Je me souviens avoir chanté pour une coupe de crème glacée, mais c'était parce que j'étais très heureuse.

—Il faut que tu me rapproches du rebord de la *Reine des airs*.

—Ici? demanda Abbey, en courant sur le pont, Roderick et Barclay sur ses talons.

—Là où sont les rats-garous? demanda Roderick,

—Oui, exactement, dit Lorimar. Et tu dois me lancer sur eux de toutes tes forces et en les visant soigneusement.

—Je parie que je peux lancer plus loin qu'elle, dit Barclay.

—Non, tu ne peux pas, rétorqua Abbey.

—Les enfants, s'il vous plaît, les implora Lorimar. Le temps est compté. Elle savait parfaitement qu'ils devaient absolument réussir. Ce n'était qu'une question de secondes avant que le bâtiment succombe aux flammes, et Tom et les autres seraient alors à jamais perdus.

Il fallait distraire l'attention des serviteurs du Nacht et, pour que son plan fonctionne, Lorimar avait besoin de l'aide involontaire des deux rats-garous.

−C'est le moment, mon enfant, cria Lorimar aussi fort que le pouvait une pomme de terre. Lance-moi, maintenant !

Abbey fit exactement ce qu'on lui disait et Lorimar ouvrit ce qui ressemblait à une bouche à la surface rugueuse de sa forme végétale, prête à mordre.

La pomme de terre heurta l'un des rats-garous sur le dessus du bras et Lorimar mordit dans l'épaisse fourrure terne, pinçant fortement la chair tendre.

Le rat-garou poussa un cri perçant, retirant brusquement son bras qui battit l'air et lui fit relâcher sa prise sur le câble. L'autre rat-garou essaya de prêter main-forte à son complice et se retrouva rapidement dans la même fâcheuse situation.

Perdant pied, ils tombèrent tous deux de leur perchoir.

Tom ne pouvait rien voir. La fumée s'échappant du bâtiment en flammes était maintenant tellement épaisse et suffocante qu'il avait perdu la *Reine des airs* de vue.

−Qu'allons-nous faire ? demanda Percival entre deux quintes de toux. Tom pouvait sentir le toit trembler sous ses pieds, et il savait que le bâtiment allait s'écrouler sous peu.

−Nous acceptons notre destin en sachant que nous nous sommes bravement battus, dit le prêtre Veni Yan, mais Tom n'était pas prêt à admettre la défaite. Il refusait de croire que le Rêve allait les abandonner maintenant, après tout ce qu'ils avaient enduré. Alors qu'il leur restait tant à faire.

Le toit fut de nouveau ébranlé par une secousse et il semblait bien que ce serait la dernière. Tom essaya de percer l'écran de fumée devant lui. *Si seulement je pouvais voir quelque chose...*

Et, il vit. Quelque chose glissait très rapidement vers eux à travers le nuage noir et malfaisant, quelque chose de plus sombre que la fumée elle-même. En une fraction de seconde, il comprit ce qui s'en venait vers eux et il sut qu'il restait une chance de sauver tout le monde.

–Préparez-vous! hurla Tom tandis que l'ancre surgissait de l'épais voile de fumée, les monstrueuses créatures velues l'ayant maintenant désertée.

Tom agrippa le lourd câble qui se trouvait à sa portée en espérant que ses amis avaient réussi à faire de même. C'est alors que retentit une déflagration et que le toit s'effondra sous eux dans une pluie d'étincelles, de poussière et de débris de couleur orange.

S'agrippant de toutes ses forces à ce câble qui représentait pour lui le salut, Tom se retourna, gigotant au bout de son câble au milieu d'une épaisse fumée.

–Percival? cria-t-il. Percival, êtes-vous là?

Pendant un instant, ce fut le silence, et Tom craignit le pire mais, peu après, il entendit la voix distincte de l'aventurier de la famille Bone.

–Je suis là, dit-il, d'une voix étrange. Nous sommes tous les deux là… le prêtre et moi… mais, je ne sais pas pour combien de temps.

Une fois qu'ils se furent éloignés de la fumée aveuglante, Tom put voir Percival se tenant des deux mains au bas de l'ancre et le guerrier Veni-Yan suspendu à lui.

Par une cheville.

Le paysage défilait loin sous eux tandis qu'ils déviaient dans le ciel. Si jamais ils tombaient…

Tom ne voulait pas y penser. Il fallait faire quelque chose pour aider ses amis.

Oubliant sa peur de plonger vers un destin affreux, Tom affermit sa prise sur l'ancre et tendit une main tremblante vers le représentant de la famille Bone.

–Pouvez-vous attraper ma main? demanda Tom.

–J'ai bien peur de tomber si j'essaie de libérer ma main, grogna Percival. Ce qui ne veut pas dire que je ne vais pas… tomber… de toute manière, ajouta l'aventurier à bout de souffle.

–Tenez-vous, le pressa Tom, en se tortillant un peu pour se rapprocher davantage afin de lui tendre de nouveau la main. Là, dit-il.

Mais Percival ne bougea pas, et, sous le regard horrifié de Tom, il vit les doigts de l'explorateur commencer à glisser. Tom se glissa encore plus vers le bas et saisit l'une des mains de Percival, juste au moment où celui-ci lâchait prise.

–Je l'ai! s'exclama Tom tout excité. Mais, son enthousiasme fut de courte durée. Incapable de supporter le surplus de poids, il fut arraché à l'ancre.

Tout en dégringolant, Tom, raidit ses muscles, se préparant à l'extraordinaire douleur qui l'attendait à son arrivée au sol. Mais, ce ne serait rien comparé à celle qu'il ressentait à l'idée qu'il avait entraîné la chute de ses amis, ainsi que la défaite du Rêve. Roderick avait eu raison : finalement, il n'était qu'un cultivateur de navets, et le resterait toujours. S'il survivait, bien sûr.

Mais, la chute ne fut pas aussi catastrophique qu'il se l'était d'abord imaginée. À sa grande surprise, ses amis et lui atterrirent dans la frondaison d'un gigantesque chêne, qui les accueillit dans ses feuilles abondantes et généreuses, leur procurant ainsi un coussin bienvenu qui les protégea contre les conséquences d'une chute qui aurait pu s'avérer fatale.

– Est-ce que ça va pour tout le monde ? demanda Tom, se retenant aux branches épaisses pour amorcer sa descente.

– Une chance que l'arbre était là, sinon nous aurions été écrabouillés, dit Percival, pendant que Tom l'aidait à descendre. C'est curieux, je ne me souviens pas avoir vu un arbre ici lorsque nous étions dans les airs, ajouta-t-il, en posant la main sur son tronc.

– Moi non plus, acquiesça Tom, qui commençait à avoir une petite idée de son origine.

– Ça n'a pas d'importance, dit le prêtre guerrier, en se laissant tomber sur le sol avec un grognement, dans une pluie de feuilles et de glands. Il était là, et c'est tout ce qui compte.

Le tronc de l'arbre commença à se fissurer et à se désintégrer, tandis qu'un visage familier se formait devant leurs yeux.

– Bonjour, Lorimar, dit Tom, heureux de voir qu'elle allait bien et que ses soupçons se vérifiaient. Merci pour le chêne, dit-il.

– Je suis très heureuse de vous rendre service, dit-elle.

−J'aurais dû y penser que vous aviez quelque chose à voir avec tout cela, dit Percival, en se protégeant les yeux de la main pour regarder l'arbre. Tout à fait majestueux !

La *Reine des airs* fit brièvement écran aux rayons du soleil, tandis qu'il décrivait des cercles au-dessus de leur tête.

−D'ailleurs, en parlant de quelque chose de majestueux, dit l'aventurier de la famille Bone, qui se mit à faire des signaux en direction du vaisseau.

Tom sentait le regard intrigué du prêtre guerrier sur lui.

−Qui êtes-vous ? demanda, ébloui, le membre de la confrérie Veni-Yan.

−Je m'appelle Tom Elm, voici Percival Bone, et voilà Lorimar, dit Tom, pointant son doigt en direction de l'arbre. Nous avons été envoyés pour vous sauver.

−Par le Rêve ? demanda-t-il, s'émerveillant à cette pensée.

−Oui, répondit Tom. Nous avons été choisis pour une mission très importante… et il en est de même pour vous.

CHAPITRE 14

Lorsque Tom, Percival et le prêtre guerrier eurent grimpé à bord de la *Reine des airs* le long du câble, les jumeaux coururent vers leur oncle et l'étreignirent de toutes leurs forces.

–Tu n'es pas fâché que nous ayons fait voler la *Reine des airs*, n'est-ce pas, oncle Percival? demanda Barclay, jetant un coup d'œil à son oncle qu'il enserrait toujours de ses bras.

–Non, je ne suis pas fâché, dit Percival, les étreignant à son tour. En fait, je suis très impressionné.

–Si j'étais à ta place, je voudrais certainement nous donner une bonne fessée, dit Abbey.

–Alors, c'est une bonne chose que tu ne sois pas à ma place, n'est-ce pas?

Il les serra de nouveau dans ses bras et Tom sourit pendant un instant avant de reporter les yeux sur le côté du vaisseau. Le visage de Lorimar avait disparu du tronc d'arbre et il se demanda si elle s'était de nouveau transportée dans le corps de la *Reine des airs*. Le prêtre Veni-Yan retira quelques feuilles des manches de sa tunique et Tom s'aperçut qu'un gland venait de glisser sur le pont. Lorsqu'il s'immobilisa, il commença à sauter sur place.

Tous se turent et regardèrent, fascinés. En quelques secondes, le fruit du chêne se fendilla, des tiges de feuilles vertes se faufilèrent par les fissures de la coquille et s'allongèrent, puis le mouvement s'accentua rapidement. C'était un peu comme si le temps s'était accéléré et Tom assistait à la croissance d'un arbre qui atteignait la maturité devant ses yeux. Mais, ce qui avait d'abord l'apparence d'un arbre se transforma soudainement et adopta la forme d'une femme.

Lorimar, sous le déguisement du majestueux chêne, se tenait en silence sur le pont avant de relever sa tête composée de feuilles entrelacées pour les regarder.

—Beaucoup mieux, dit-elle, en tendant un bras fait d'un assemblage de tiges afin de contempler la forme qu'elle venait d'adopter. Tom dut en convenir, il préférait certainement sa nouvelle silhouette au visage auquel il avait adressé la parole sur la coque du vaisseau.

. . .

Mais, Tom était mal à l'aise.

Ils avaient réussi à délivrer le prêtre Veni-Yan et à revenir de leur mission en un seul morceau, mais il y avait quelque chose qui clochait. Et cette pensée le rongeait, comme s'il avait oublié quelque chose. *Ou quelqu'un.*

—Y a-t-il un problème, Tom? demanda Lorimar.

—Non…, dit-il enfin, en parcourant le paysage des yeux. Je ne sais pas, poursuivit-il, perplexe. J'ai l'impression que quelque chose cloche. Que cette mission n'est pas terminée.

Il jeta un coup d'œil à la femme-chêne, espérant une réponse.

—Peut-être devrais-tu écouter ton pressentiment, dit-elle.

Tom allait l'interroger de nouveau quand Roderick surgit à côté de lui et le poussa du coude.

—Comment s'appelle-t-il? demanda Roderick dans un souffle, montrant du doigt le prêtre Veni-Yan assis seul à l'écart.

En arrivant à bord du vaisseau, on lui avait offert de l'eau, puis il s'était retiré dans un coin.

Tom haussa les épaules.

—Je ne sais pas, dit-il, mais s'il doit se joindre à nous, il serait préférable de le savoir.

Roderick et Tom s'approchèrent de l'homme et ce dernier allait lui poser la question quand Roderick intervint.

—Bonjour, dit le raton laveur. Je m'appelle Roderick, quel est votre nom?

L'homme semblait perdu dans ses réflexions, mais ses traits sérieux firent place à un sourire face au petit animal.

—Bonjour, Roderick. Il lui tendit la main, prenant la petite patte de Roderick dans sa main. Je m'appelle Randolf... Randolf Clearmeadow.

—Randolf Clearmeadow, répéta le raton laveur, laissant les deux noms rouler sur sa langue. C'est un très beau nom.

Le prêtre sourit de nouveau.

—Vous formez vraiment une curieuse confrérie, dit-il avec un petit rire et en buvant une gorgée d'eau dans sa tasse en métal. Et vous me dites que nous sommes tous censés entreprendre une sorte de quête? Il rit de nouveau en hochant la tête.

Tom était sur le point de lui expliquer quand il ressentit de nouveau cette impression d'un travail non terminé, cette fois de manière plus intense. Pendant un instant, le fragment de Spark qui pendait à son cou émit une lueur, et il tendit la main pour le toucher. Des images surgirent aussitôt dans son esprit et il en eut le souffle coupé.

Il pouvait les voir tous ensemble, Roderick, Lorimar, le représentant de la famille Bone, le prêtre Veni-Yan, mais, dans sa vision, deux autres membres s'étaient ajoutés à leur groupe.

—J'ai trouvé! Je sais ce qui cloche, dit-il.

—Ça va, Tom? demanda Percival.

Tom acquiesça, et la lumière se fit tout à coup dans son esprit. Je vais très bien, répondit-il. Je comprends ce que le Rêve veut me dire.

Cela eut l'air de piquer la curiosité de Randolf.

—Le Rêve te parle-t-il vraiment? demanda-t-il.

—Il me guide par des visions, expliqua Tom. Il essaie de m'aider à tout mettre en place afin que nous soyons en mesure de mettre un terme aux vilains plans du Nacht.

—Et, quels sont, je t'en prie, les plans du Nacht? demanda le prêtre Veni-Yan.

—Tout est recouvert d'ombre, répliqua le garçon, en frissonnant. Il veut que la Vallée, puis que le monde entier, devienne un cauchemar sans fin.

—Le Rêve t'a dit cela? demanda Randolf.

—Oui, dit Tom. Et il m'a envoyé pour vous secourir. Maintenant, il est en train de me dire que deux autres personnes doivent se joindre à nous.

—Deux autres personnes, Tom? questionna Roderick. Qui?

—Je dois vous dire que nous les avons déjà rencontrées.

Ses amis étaient déconcertés.

—De qui parles-tu, Tom? voulut savoir Percival.

—Les rats-garous, dit Tom. Rappelez-vous, je les ai vus lors de ma première vision? Hé bien, je viens de les voir cette fois-ci encore. Alors, il faut qu'ils se joignent à nous.

À l'exception de Lorimar, tous le regardaient comme s'il avait perdu l'esprit.

—Mais, es-tu en train de devenir fou? glapit Roderick. C'est impossible d'envisager d'avoir ces monstres avec nous à bord. On ne peut pas leur faire confiance.

—Je dois dire que je suis d'accord avec Roderick, Tom dit Percival. D'après ce que j'ai entendu dire, ces êtres sont plutôt horribles et imprévisibles.

—Il n'est pas question que ces monstres montent à bord de mon vaisseau, dit Abbey, son frère hochant la tête à ses côtés.

—Est-il possible que tu te trompes, mon garçon? demanda Randolf.

Tom réfléchit pendant un instant, mais il savait que les choses devaient être ainsi. Ils avaient tous un rôle à jouer dans cette quête, et il en allait de même pour les rats-garous.

—Je ne me trompe pas, dit Tom en hochant légèrement la tête. Il faut que les rats-garous se joignent à nous.

Le visage du vieil homme avait pris l'apparence d'un masque sombre tandis qu'il réfléchissait aux paroles que Tom venait de prononcer; puis, brusquement, il pivota et s'éloigna.

—Je ne peux pas croire que tu veuilles faire cela, dit Roderick. Tu sais comment ils sont… ce qu'ils ont fait à ma maman et à mon papa.

—Je sais, Roderick, et je suis désolé, mais le Rêve…

—Le Rêve se trompe, cria Roderick d'une voix tremblante. Le raton laveur fit volte-face et sortit du poste de barre en courant et le bruit de ses petits pas dans l'escalier menant à la cale résonna dans leurs oreilles.

—Percival, je… commença Tom.

—Je ne sais pas quoi en penser, Tom, dit l'aventurier, en se grattant le menton. Je crois que j'ai déjà été assez fou pour me laisser convaincre de prendre part à votre tentative de sauvetage, mais là tu veux que ces créatures infectes se joignent à nous à bord et mettent en péril la vie de tous ici. Je ne sais pas quoi dire.

—Je crois que le Rêve fait erreur, intervint Abbey.

—C'est ce que je pense, aussi, ajouta Barclay, et Tom vit que, pour une fois, les jumeaux étaient d'accord.

Est-ce possible? se demanda-t-il. *Est-il possible que le Rêve se trompe? Ou, est-ce qu'il se peut que j'interprète mal ce qu'il essaie de me dire?*

—Lorimar, dit Tom, se retournant vers la femme-forêt, demeurée silencieuse pendant tout ce temps. Je ne sais pas quoi faire, dit-il.

—Tu dois faire ce que tu ressens… ce que tu sais qui est juste, dit-elle, le laissant encore plus perplexe.

—Je sais que ce sont des monstres, dit Tom à l'intention de ses amis. Mais, ils ont un rôle à jouer dans cette mission… un rôle important si le Rêve doit nous accompagner. Tom regarda chacun d'eux dans les yeux et s'efforça de leur faire comprendre que sa décision était ferme. J'ai toute confiance en le Rêve, ajouta-t-il.

—Moi aussi, dit Randolf, en pivotant sur lui-même là où il s'était arrêté près du vaisseau. Il y a longtemps que le Rêve ne s'est pas adressé à moi, mais quelque chose me dit… une sensation au plus profond de moi… qui me dit que ce qu'affirme le garçon est la vérité.

—Alors, vous pensez que nous devrions retourner sur nos pas pour aller chercher les rats-garous, demanda Percival.

—Je ne sais pas, dit Randolf. Mais ce garçon, celui qui a été choisi par le Rêve, le sait. Et, bien que je pense que ces créatures soient ignobles, et qu'elles représentent un fléau pour toute la Vallée, si elles ont un rôle à jouer dans cette quête, je crois que nous devons leur donner l'occasion d'y prendre part.

—Merci, Randolf, dit Tom.

—Ne me remercie pas, mon garçon. Parce que le dernier mot reviendra au capitaine de ce vaisseau et c'est lui qui décidera si les rats-garous pourront monter à bord ou non.

Percival Bone faisait les cent pas et se grattait le menton, plongé dans ses réflexions.

—Ne fais pas ça, oncle Percy, le mit en garde Barclay. Ces créatures ont avalé les parents de ce pauvre Roderick.

—Et, qui sait, ils ont peut-être mangé nos parents, aussi! s'égosilla Abbey.

Percival détourna le regard loin des yeux implorants de sa nièce et de son neveu et rencontra ceux de Tom. Es-tu certain d'avoir pris la bonne décision?

—Aussi certain que je puisse l'être, répondit Tom. Il n'arrivait pas à trouver d'autres mots pour les convaincre.

L'aventurier de la famille Bone hocha la tête.

—D'accord, dit-il, en se dirigeant vers le poste de barre. Faisons demi-tour, alors.

Le visage de Barclay et d'Abbey demeurait crispé par la colère et la déception, et tous deux martelèrent le pont de leur pas en rejoignant Roderick dans la cale.

—J'espère que j'ai raison, souffla Tom.

–Je l'espère moi aussi, répondit Randolf, qui tapota l'épaule du garçon en s'éloignant de nouveau pour être seul.

Tom regarda Lorimar, espérant une parole d'encouragement, mais la femme-forêt demeura sinistrement silencieuse, comme un arbre au milieu de la forêt.

. . .

Les rats-garous étaient au bord de la panique.

D'abord, ils avaient offensé leur roi en dérobant l'écureuil mort, à la suite de quoi les gardes du roi les avaient pourchassés, et juste au moment où ils croyaient avoir pris la bonne décision en capturant le majestueux vaisseau du ciel avec tous ses occupants appétissants, ils se retrouvaient hissés dans les airs et suspendus au-dessus du paysage environnant, puis bombardés de pommes de terre, pour finalement être projetés au sol au beau milieu de villageois qui n'avaient vraiment plus rien d'humain.

Au bord de la panique? Oh oui!

Et maintenant, ces humains qui n'étaient pas tellement humains essayaient de les tuer, alors que leur butin s'était envolé avec deux humains et un représentant de la famille Bone.

Les rats-garous s'efforcèrent de les convaincre que ce n'était pas une bonne journée pour eux, mais les humains inhumains ne voulaient rien entendre.

Alors, les rats-garous se mirent à courir, ils foncèrent entre les bâtiments en entraînant derrière eux tous ceux qui cherchaient à leur faire un mauvais parti.

Il fallait qu'ils atteignent la forêt. Le soleil allait bientôt se coucher et, grâce à l'obscurité nocturne, ils pourraient probablement semer leurs poursuivants, peut-être même en capturer un ou deux comme cadeau pour le roi. Ce n'était pas un majestueux vaisseau du ciel, mais il faudrait s'en contenter.

– Je pense que nous devrions capturer quelques spécimens de ces humains étranges pour les offrir au roi Agak, dit le rat-garou en se cachant derrière une étable pour retrouver son souffle.

– C'est bien toi qui a eu la brillante idée de capturer le vaisseau du ciel? demanda l'autre. Et nous avons pu voir comment tout cela s'est terminé.

– Non, je pense que ce serait ce qui pourrait nous permettre de retrouver la faveur du roi. J'imagine que le goût de ces humains-là doit être complètement différent de celui des humains normaux.

– Je crois que nous devrions tout simplement nous jeter à ses pieds et lui rendre l'écureuil, dit l'autre. Il est possible que notre châtiment ne soit pas si terrible.

Le rat-garou se recroquevilla, tenant son cher brigand contre sa poitrine.

– Lui donner Frédéric? Après tout ce que nous avons vécu, je n'y songe même pas. Il y a les écureuils morts et les écureuils morts, le réprimanda le rat-garou. Et Frédéric est un écureuil mort très spécial.

– Silence, siffla l'autre. Les inhumains approchent.

– Vite! dit le rat-garou. Nous avons probablement le temps d'atteindre les bois.

Ils avaient parcouru la moitié du chemin les séparant de la liberté quand les cris stridents commencèrent.

—Les voilà! hurla l'un des humains.

—Attrapez-les avant qu'ils ne puissent s'échapper, braila un autre.

—Faites-les payer pour s'être dressés contre les plans du Nacht! s'exclama un troisième.

Les étranges humains se ruaient sur eux, furieux, leurs épées et leurs couteaux brandis au-dessus de leur tête.

—N'aie pas peur, Frédéric, dit le rat-garou à son écureuil. Je ne les laisserai pas te faire du mal.

—Oh, bien sûr, tu ne les laisseras pas faire du mal à ton écureuil, mais, et moi alors?

—Tu peux très bien prendre soin de toi; Frédéric est tout petit, lui.

L'ombre qui régnait dans la forêt leur tendait les mains. Ils se glissèrent dans la forêt qui les dissimulait aux regards de leurs poursuivants, mais ils s'arrêtèrent brusquement, leurs yeux habitués à voir dans le noir fouillant l'obscurité à la recherche d'un mouvement.

—As-tu vu cela? demanda le rat-garou à son camarade.

—Je crois que oui, siffla l'autre.

—Montrez-vous immédiatement, ordonna le rat-garou, en tendant la main pour écarter un buisson épais qui s'élevait devant eux. Ne voyez-vous pas que nos vies sont en danger?

Le roi Agak et dix de ses féroces soldats les regardaient, impassibles.

– HIIIIII ! s'égosilla le rat-garou.

– HAAAA ! brailla l'Autre.

Les deux complices firent aussitôt volte-face, surgissant hors du couvert de la forêt pour se retrouver face aux humains qui n'avaient plus rien d'humain, leurs armes tranchantes brillant dans la lumière ascendante de la Lune.

– HIIIIII ! s'égosilla encore le rat-garou.

– HAAAA ! brailla de nouveau l'autre.

Le chef de la bande des inhumains sourit.

– Arrêtez-vous tout de suite, monstres, aboya-t-il, en jetant un bref coup d'œil à son épée. Vous allez payer pour tout ce que vous avez fait.

Lentement, les rats-garous commencèrent à reculer mais, en se retournant, ils tombèrent sur le roi et sa suite lancés à leurs trousses.

– Que quelqu'un me pince, je rêve, tonna Agak. Vous avez volé la carcasse de mon écureuil… Quelle impertinence ! Vous deux allez bientôt pouvoir sentir toute l'étendue de vos erreurs.

Les rats-garous s'immobilisèrent de nouveau, ne sachant pas où diriger leurs pas. D'un côté, il y avait ces humains n'ayant plus rien d'humain, de l'autre, leur roi, furieux, et ses soldats assoiffés de sang.

Oh non, les choses n'allaient pas très bien.

—Je veux te donner ceci, dit le rat-garou, en posant Frédéric dans la main de l'autre.

—Tu me… donnes… Frédéric?

—Oui, bien sûr, dit le rat-garou. Peut-être que s'il croit que c'est toi le responsable de tout cela, le roi sera plus tendre avec moi.

—T'ai-je déjà dit combien je te déteste? demanda l'autre, en soulevant l'écureuil mort au-dessus de sa tête. Il se préparait à massacrer celui qui l'avait trahi en utilisant le corps putrescent de l'animal quand une voix inconnue retentit.

—Hé, vous deux!

Les rats-garous jetèrent un coup d'œil autour d'eux, perplexes, pendant que leurs ennemis se rapprochaient.

—En haut, intervint de nouveau la voix mystérieuse.

Ils regardèrent vers le haut et sursautèrent, tellement stupéfaits que la peur les jeta dans les bras l'un de l'autre.

Le vaisseau du ciel flottait dans les airs au-dessus de leur tête, le garçon humain qu'ils avaient vu lorsqu'il avait réussi à s'échapper du toit en flammes les appelait du haut du ciel.

—Il semble que vous soyez tous deux dans de beaux draps, dit le garçon.

Les rats-garous voyaient le danger se rapprocher à grands pas et ne pouvaient qu'acquiescer.

– J'ai une offre à vous faire, dit le garçon.

Les rats-garous le regardaient, attendant sa proposition.

– Je vais vous sortir de ce mauvais pas, mais vous devez promettre de bien vous comporter, dit-il.

Les rats-garous se regardèrent, puis reportèrent les yeux sur le garçon.

– Que veux-tu dire exactement par bien se comporter? demanda le rat-garou.

– Votre comportement doit-être irréprochable, expliqua le garçon : ne faire de mal à personne et ne manger personne se trouvant à bord du vaisseau.

Les rats-garous se regardèrent de nouveau.

– C'est beaucoup demander, dit l'autre rat-garou en secouant la tête. Je ne sais pas trop.

Les inhumains étaient presque sur eux maintenant.

– Préparez-vous à être écorchés vifs! aboya le chef, en brandissant son épée.

– Vous allez payer pour les insultes que vous avez proférées à mon endroit! hurla le roi Agak, tandis que lui et ses soldats se rapprochaient.

Les rats-garous regardèrent le garçon émergeant de la surface du pont du grand vaisseau.

– Nous allons bien nous comporter, dirent-ils à l'unisson.

– Vous promettez? demanda le garçon, en saisissant l'échelle de corde.

– Nous promettons, acquiescèrent-ils.

– Et si nous brisons notre promesse, vous pourrez prendre l'écureuil mort, dit l'Autre, en tenant bien haut le corps de l'écureuil pour que le garçon puisse le voir.

– Comment peux-tu oser donner Frédéric, dit le rat-garou, médusé.

– Tais-toi et attrape la corde, lui ordonna l'autre alors que l'échelle de corde pendait au-dessus d'eux.

– Je veux que tu me le redonnes, dit le rat-garou à son camarade, tout en saisissant un des barreaux de l'échelle. J'ai commis une terrible erreur, je n'aurais jamais dû te le donner.

– Nous verrons bien, rétorqua l'autre, en posant la main à son tour sur un barreau de l'échelle. Je crois que Freddy commence à mieux m'apprécier.

– Frédéric, comment peux-tu faire une chose pareille? demanda le rat-garou, repoussant ses larmes alors que le vaisseau du ciel commençait à prendre de l'altitude, et que les deux complices étaient soulevés et progressivement mis à l'abri de la menace pesant sur eux.

. . .

Le roi Agak sifflait férocement, les poils de son dos hérissés par la colère, maintenant qu'il se retrouvait face au groupe des humains qui les défiaient. Ses soldats rats-garous grognaient et grondaient, attendant son signal pour attaquer, mais celui-ci ne vint pas.

Ces humains avaient quelque chose d'étrange, pensa le roi des rats-garous en reniflant l'air. Il ne décelait aucune odeur de peur, ce qui était curieux, parce que quand il se retrouvait face à des humains, ceux-ci empestaient toujours la peur.

Le roi s'élança en poussant un rugissement, mais les humains ne bougèrent pas. Ils demeuraient immobiles, et continuaient de les regarder d'un drôle d'air, les armes à la main. Oui, ces humains-là avaient vraiment quelque chose de différent, quelque chose qui lui disait qu'il était sage de se méfier.

—Pourquoi pourchassez-vous ces gredins de rats-garous? demanda le roi, éprouvant de la difficulté à parler la langue des humains.

—Ils ont laissé nos ennemis s'échapper, dit le chef, en s'adressant au roi dans la langue des rats-garous, une langue qu'il maîtrisait parfaitement. Ils doivent être châtiés.

Le roi Agak était impressionné, ces humains étaient vraiment très étranges.

—Ceux qui se sont évadés avec les traîtres, dit-il, en pointant sa griffe dans le ciel nocturne. Sont-ils vos ennemis?

Le chef hocha la tête, ses yeux aussi noirs que l'ouverture d'une caverne.

—Nous recherchons ces gredins pour les punir; par consé-
quent, ceux qui sont dans le vaisseau sont aussi nos ennemis,
dit Agak.

Le chef sourit, il comprenait ce que voulait dire le roi.

—Désirez-vous vous joindre à nous? demanda le chef.

Habituellement, le roi n'éprouvait que du mépris pour les
humains et pour tout ce qui leur importait, mais, chez ces
hommes un peu particulier, il y avait quelque chose de différent et ce quelque chose l'incitait à collaborer avec eux.

—Oui, acquiesça le roi Agak. Nous devrions joindre nos
forces.

—Excellent, dit le chef entre deux rires.

Un murmure sombre souffla dans les oreilles du roi, lui
disant que cela était juste.

. . .

La *Reine des airs* glissait dans la nuit, le pilotage automatique
avait été activé pendant que le capitaine procédait à l'accueil
des nouveaux passagers.

Le deux rats-garous s'étaient rassemblés à l'écart sur le pont,
à l'arrière du poste de barre. Tremblants, ils se tenaient recroquevillés dans leur coin sous le regard inquiet des autres.
Percival se demandait qui était le plus terrifié.

—Ne vous approchez pas trop, les mit en garde Percival, les
mains posées sur les épaules d'Abbey et de Barclay.

—Qu'ils sont laids, dit Abbey, en plissant le nez. Et, en plus,
ils ne sentent pas très bon.

—Ils n'ont pas l'air si coriaces, dit Barclay, en brandissant son poing en direction des créatures velues. Et, s'ils sont bien avisés, ils ne vont pas nous créer d'ennuis.

Percival serra l'épaule de son neveu.

—Allons, ne commence pas, dit-il au garçon. Ils se comportent très bien, comme le leur a demandé Tom.

—Hum! Abbey croisa les bras devant elle.

—Je ne comprends toujours pas pourquoi Tom tenait tant à ce qu'ils montent à bord. Regardez-les. On se demande bien comment ils pourraient nous aider?

Tout à coup, Randolf fut à leurs côtés, son regard intense fixant les deux rats-garous.

—Ne sous-estimez jamais les rats-garous, les enfants, dit-il. Ce fut mon erreur, il y a longtemps. Je croyais qu'ils étaient stupides, et je n'ai jamais imaginé qu'ils seraient assez intelligents et astucieux pour nous défier, et pour m'arracher tout ce qui comptait pour moi.

Les rats-garous se mirent à grogner, sentant les fortes émotions irradiant de l'homme. Lentement, Randolf commença à sortir un couteau menaçant de sa tunique décolorée.

—Tout doux, l'ami, l'avertit Percival.

—Ne t'inquiète pas, mon frère, dit-il, les yeux fixés sur les deux créatures. Rien n'arrivera à ces deux-là, à moins qu'ils ne nous laissent pas le choix. Rappelez-vous, ils ont été choisis par le Rêve.

Les rats-garous se regardèrent.

—As-tu entendu cela, camarade? chuchota le rat-garou à son complice.

—J'ai entendu, répondit l'autre rat-garou. Quelque chose disant que nous avions été choisis par le Rêve.

—Je n'ai jamais entendu parler d'être choisi, dit le rat-garou. De quoi parlent-ils?

L'autre haussa les épaules, au moment même où Barclay faisait un pas en avant.

—Barclay! cria Percival, en tendant la main vers son neveu, mais le garçon fut plus rapide que lui.

—Bien sûr que vous avez été choisis, dit le jeune représentant de la famille Bone, en promenant son regard de haut en bas sur les rats-garous. C'est d'ailleurs la seule raison pour laquelle vous êtes à bord du vaisseau de mon oncle. Tom a dit que vous étiez présents dans sa vision, et que vous étiez censés nous aider dans notre quête.

Les rats-garous se regardèrent de nouveau, puis reportèrent les yeux sur le garçon.

—Aider? dit l'un d'eux.

—Comment? dit l'autre.

—Je ne sais pas encore, leur dit Barclay. Mais, vous allez nous apporter votre aide dans notre quête quand nous aurons besoin de vous.

Percival tira sur le vêtement du garçon et le fit reculer pour qu'il se tienne debout à côté de sa sœur.

—Est-tu complètement idiot, ou quoi? demanda-t-elle. Ils auraient pu te manger comme les parents de Roderick.

—Ils ne sont pas si coriaces que ça, rétorqua Barclay. Ils savent qui est le patron.

L'un des rats-garous leva la main.

—Ah, qui est le patron? demanda-t-il, anxieux. Est-ce le garçon qui a offert de nous sauver?

—Ouais, c'est Tom, leur dit Percival. Le chef de cette curieuse bande.

—Tom, répétèrent les deux rats-garous, comme s'ils s'efforçaient de mémoriser son nom.

—Oui, c'est lui qui préside à notre quête, dit Abbey. Hé! si vous devez faire partie de notre confrérie, comment devons-nous vous appeler?

—Nous appeler? demanda le rat-garou.

—Oui, quel est votre nom? demanda la fillette. Je m'appelle Abbey, et voici mon petit frère, Barclay, dit-elle, en désignant son frère.

—Je ne suis pas ton petit frère, nous sommes jumeaux, la corrigea-t-il.

Mais, je suis née la première, ajouta-t-elle aussitôt.

—Pas encore ça, dit le garçon, se flanquant une tape sur la tête.

—Mon nom? demanda le rat-garou, en mettant une griffe dans le coin de sa bouche.

—Alors, voici Frédéric, dit l'autre rat-garou, présentant les restes putréfiés de l'écureuil mort.

—Je l'appelle traître, dit le compagnon de l'autre rat-garou d'un ton sec.

—Non, quel est votre nom? demanda Abbey, contrariée, en mettant ses mains sur ses hanches.

—Les rats-garous de moindre importance n'ont pas de nom, dit Randolf. Seuls les représentants de la royauté portent un nom.

—Il a raison, dit l'autre.

—Mais, tout cela risque de porter à confusion, dit Barclay. Nous allons tout simplement vous donner un nom.

—Ils vont nous donner un nom, dit le rat-garou en donnant un coup de coude à l'autre. N'est-ce pas excitant!

—Je veux leur donner un nom! s'exclama Abbey, en martelant le pont de son pied.

—D'accord, d'accord, ne te mets pas dans tous tes états, dit Percival. Chacun de vous pourra en nommer un. Vas-y, Barclay, toi d'abord.

Abbey fronça les sourcils alors que le garçon plissait le front en réfléchissant. Je crois que je vais t'appeler... Il fit une pause, en montrant du doigt celui qui était le plus excité des deux.

—Oui?

—Je vais t'appeler Puant.

–Puant? répéta le rat-garou. Je ne le sens pas vraiment.

L'autre rat-garou éclata de rire, en agitant son animal mort.

C'était maintenant au tour d'Abbey.

–Et, moi, je vais t'appeler..., dit-elle, en s'adressant à l'autre rat-garou.

L'autre rat-garou cessa de rire, et regarda la fillette, suspendu à ses lèvres.

–Malodorant, dit-elle en hochant joyeusement la tête.

Les deux rats-garous se regardèrent.

–Malodorant? dit Puant.

–Puant? dit Malodorant.

–Parfait, dirent les enfants Bone, tout excités qu'ils se soient mis d'accord à propos de quelque chose sans en venir aux coups.

–Alors, voilà qui est terminé, donc, dit joyeusement Percival. Bienvenue à bord, Puant et Malodorant.

–Oui, bienvenue à bord, dit Randolf Clearmeadow d'une voix menaçante, sa main toujours posée sur la poignée de son couteau. Et, vous avez intérêt à bien vous comporter.

. . .

Tom déposa l'une des dernières caisses de pommes de terre dans la cale de la *Reine des airs*, attendant toujours que son meilleur ami lui pardonne.

Il espérait cela depuis quelque temps déjà.

–Alors, tu ne vas plus m'adresser la parole? demanda-t-il, debout face au coin sombre où était rangé un gros rouleau de corde derrière lequel se trouvait Roderick.

Des voix lui parvenaient du pont au-dessus d'eux et Tom se demanda de quoi ils pouvaient bien parler. Il ne décelait aucune trace de violence et il se dit que les deux rats-garous avaient donc tenu leur promesse.

–Allons, Roderick, tenta-t-il encore. Tu sais que je ne ferais rien pour que tu sois triste.

–Hé bien, tu t'en tires pas trop mal, il me semble, ronchonna d'une toute petite voix le raton laveur toujours dans sa cachette.

–Je sais que les rats-garous ont tué tes parents, mais afin d'être fin prêts pour notre quête, je dois faire tout ce que me dit le Rêve.

–Même si c'est dangereux? demanda Roderick. Même si cela met nos vies en péril?

Tom poussa un soupir. Il savait exactement où son ami voulait en venir avec cette conversation. Les rats-garous ne pouvaient qu'entraîner des ennuis, cela ne faisait aucun doute, mais le Rêve voulait qu'ils se joignent à leur quête. Et cela signifiait qu'ils partageaient une part de l'objectif qui visait à rassembler les morceaux du Spark original.

–Ils ont promis de bien se comporter si nous leur sauvions la vie, expliqua le garçon.

– Oh, et les rats-garous ne mentent jamais, dit le raton laveur d'un ton sarcastique.

– Je n'ai pas dit cela, rétorqua Tom, frustré de ne pouvoir rallier son ami à son point de vue.

– Alors, comment peux-tu leur faire confiance, Tom? demanda Roderick, surgissant derrière le rouleau de corde enroulée. Les petits yeux de son ami étaient rouges et sa fourrure au-dessous, toute humide. Comment peux-tu savoir qu'ils ne vont pas te faire de mal, à toi, à Abbey ou à Barclay?

Tom se devait d'être honnête. Je n'en sais rien, dit-il, en levant les bras. Mais, je les ai vus dans ma vision aussi clairement qu'en plein jour… J'ai même vu que l'un d'eux transportait un écureuil mort. Je dois avoir toute confiance en le Rêve, et me dire qu'il sait ce qu'il fait.

Les épaules du petit raton laveur s'affaissèrent, tandis que de grosses larmes coulaient sur ses joues. Mais, qu'adviendra-t-il si le Rêve se trompe?

– Ce n'est pas possible, dit Tom, en se levant et en avançant jusqu'à son ami. Il se laissa tomber par terre et passa son bras autour des épaules du raton laveur. Parce que, si c'est le cas, il se trompe aussi pour chacun de nous et même en ce qui a trait à notre capacité d'arrêter la progression du Nacht dans la Vallée, et dans le reste du monde. Et tu sais bien que ça, c'est impossible, n'est-ce pas?

Roderick l'étreignit enfin, essuyant son nez de raton laveur qui s'était mis à couler sur l'épaule de la tunique de Tom.

– C'est impossible, effectivement, dit son ami de petite taille.

Il faut que cesse l'emprise du Nacht pour que les membres de notre famille puissent se réveiller.

—Notre famille et tous les pauvres habitants de Trumble, et de tous les autres villages que le Nacht pourrait déjà avoir atteints.

—Nous ne pouvons plus laisser cela se produire, dit Roderick en secouant la tête.

—Non, nous ne pouvons plus accepter cela, acquiesça Tom. Alors, sommes-nous encore les meilleurs amis?

Roderick demeura songeur pendant un instant.

—Seulement si les rats-garous ne nous mangent pas durant notre sommeil, dit-il.

—Alors, il faudra veiller à ce que cela n'arrive jamais, lui dit Tom, en se mettant debout. Il tendit la main à son ami. Ne devrions-nous pas nous rendre sur le pont pour décider de ce que nous devons faire maintenant, demanda-t-il.

—Oui, répondit Roderick, posant sa petite patte dans la main de Tom. Ce que nous avons à faire est plus important que de récolter des navets.

—Certainement, dit Tom, et ensemble ils se dirigèrent vers le pont pour rejoindre les autres.

. . .

Tom le sentit dès qu'ils furent de retour sur le pont; le fragment de Spark qu'il portait dans son cou se mit à briller.

—Que se passe-t-il? demanda Roderick au moment où le garçon laissa sa petite patte.

–Ça brille de nouveau, dit Tom, en mettant la main à l'intérieur de sa tunique pour en sortir la pierre, qui était toujours suspendue à sa lanière de cuir. Les autres le regardaient, curieux.

–La dernière fois qu'il a fait ça, je l'ai touché, et j'ai eu une vision, expliqua le garçon.

–Alors, vas-y, touche-le, lui dit Percival. Peut-être auras-tu une meilleure idée de ce qu'il faut faire.

Tom jeta un coup d'œil en direction de Lorimar, qui continuait de se tenir à l'écart des autres. Est-ce cela qu'il veut que je fasse? lui demanda-t-il.

–Vas-y. Et de son bras où s'entremêlaient quelques tiges et quelques petites branches, elle fit un geste pour l'encourager. Le Rêve seul peut te le dire.

–Entendu, alors allons-y, dit-il en poussant un soupir. Il retint son souffle, compta jusqu'à trois et, avec sa main, il entoura le fragment de pierre blanche qui émettait sa pulsation et…

Il ne ressentit rien.

–Alors? demanda Percival.

–Est-ce que le Rêve a communiqué avec toi de nouveau? demanda Randolf.

–Pouvons-nous y aller maintenant? demanda l'un des rats-garous, tandis que l'autre lui chuchotait vivement de se taire.

–Je n'ai rien senti, dit Tom, dépliant sa main pour jeter un coup d'œil à la pierre. Elle brillait toujours, émettant une pulsation et une lueur inquiétante, comme s'il s'agissait du battement d'un cœur. Elle ne brille pas toujours ainsi. Je me demande ce qu'elle essaie de me dire.

– HIIIIIIIIIIIE!

Un des rats-garous se mit soudain à crier, et l'attention de tous se tourna vers la créature à fourrure. C'était le rat-garou qui transportait son écureuil mort. Il lança brusquement l'animal en décomposition sur le pont et se réfugia derrière son ami.

– Que se passe-t-il? demanda Tom.

– Oui, Malodorant, fit écho Barclay. Que se passe-t-il?

– Malodorant? interrogea Tom.

– Ouais, celui-là c'est Malodorant, tandis que l'autre c'est Puant, expliqua Barclay.

Tom hocha la tête, comprenant immédiatement qui leur avait donné ces noms, mais ignorant toujours ce qui effrayait tant Malodorant.

– Qu'y a-t-il, Malodorant? demanda le rat-garou à son compagnon.

– C'est Frédéric, dit Malodorant d'une voix tremblante. Il… il brille.

Puant se jeta sur le pont et se rapprocha discrètement de la carcasse de l'écureuil. Il reniflait soigneusement le corps quand cela se produisit, un brusque éclair de lumière provenant de sous la peau de l'animal mort. Il en eut le souffle coupé, et se recula vivement.

—Tu as raison, dit-il à son compagnon. Frédéric brille... J'espère qu'il n'est pas malade, dit le rat-garou qui se faisait du mauvais sang.

Tom regardait l'écureuil, guettant un autre signe, mais il n'eut pas à attendre longtemps. Une faible lueur jaillit à travers les restes de la fourrure et de la peau de l'animal mort, une lumière qui émettait une pulsation égale à celle du fragment que portait Tom à son cou.

Il se fit un pas en avant.

—Attention, Tom, intervint Percival. Nous ne savons pas ce qui se passe.

—Je crois que je le sais, répondit le garçon. Il faut l'ouvrir.

—Je sens que je vais m'évanouir, dit Puant, en s'appuyant sur son compagnon.

Randolf s'agenouilla à côté de Tom et lui offrit son couteau.

—Ceci devrait faire l'affaire, dit le prêtre guerrier Veni-Yan.

—Merci.

Tom prit la dague et, à petits coups répétés, il réussit à percer un petit trou dans la carcasse sèche comme du cuir. Des rayons de lumière jaillirent de l'ouverture.

—Je ne peux pas regarder, dit Malodorant. Il se couvrit les yeux de sa main griffue, mais ne manqua pas d'écarter très vite ses griffes pour jeter un coup d'œil.

Le garçon élargit le trou. Le Spark suspendu à son cou et ce qui se cachait dans l'écureuil palpitaient d'une seule et même pulsation.

—Alors là, je me demande… commença Percival, en se rapprochant. Qu'est-ce que c'est que ça.

—Nous n'allons pas tarder à le savoir, dit Tom tandis qu'il mettait sa main dans l'ouverture.

Le bout de ses doigts sentit quelque chose de dur dans l'intérieur mou et putréfié de l'animal mort, et il en retira lentement l'objet qui brillait.

Il s'agissait d'un petit fragment de pierre, en tous points semblable à celui que Tom portait à son cou.

—Est-ce bien ce que je pense? demanda Abbey, les yeux émerveillés.

—Un fragment de Spark, dit Tom, les yeux fixés sur l'objet qu'il venait de retirer.

—Beurk, il est tout couvert de «morceaux» d'écureuil, fit remarquer Barclay, qui se mit aussitôt à rire.

Un choc se fit entendre et, se retournant tous ensemble, ils constatèrent que Puant s'était évanoui dans les bras de son ami.

—Il est très fragile, dit Malodorant, en le déposant sur le plancher.

Tom ignora les rats-garous, il était fasciné par la pulsation des pierres qu'il tenait dans sa main. *Voilà probablement la raison pour laquelle le Rêve croyait que la participation des rats-garous était importante*, pensa-t-il.

Il brossa le fragment sur le bas de son pantalon, retirant ce que Barclay avait qualifié de «morceaux» d'écureuil, le faisant briller encore plus.

—Même quand il est recouvert de saleté, je peux sentir sa puissance, dit Randolf.

Tom prit le fragment suspendu à son cou et en approcha le plus petit morceau, pour voir s'il était possible qu'ils s'agencent. Il ressentit une soudaine poussée, et l'éclat lui échappa des mains et vint aussitôt se fixer sur le plus gros fragment de Spark.

—Waoou! s'écria Tom, quand le nouveau fragment, de plus grande taille, se mit à briller si violemment que, tout à coup, le monde et ses amis disparurent à ses yeux.

Tandis que les points lumineux qui dansaient dans les yeux de Tom commençaient à s'estomper, Tom se retrouva dans un lieu sombre. Le sol était mou et collant sous ses pieds. D'abord, il crut qu'il avait été transporté dans une grotte, puis il remarqua un faible bourdonnement qui s'accentua progressivement.

Tom porta la main au fragment de Spark suspendu à son cou. La pierre brillait, lui fournissant un peu de lumière dans l'obscurité opaque de cette étrange chambre.

La vision était différente des précédentes. Elle était plus intense et plus réelle.

Tenant maintenant le Spark à bout de bras, il regarda autour de lui et comprit d'où provenait le son. La lumière du Spark éclairait des murs faits d'une multitude de petites cavités dorées. Il se rappela alors avoir vu quelque chose de semblable lorsqu'il était allé au marché avec ses parents; dans son souvenir, par contre, elles étaient beaucoup plus petites.

Il se trouvait dans une pièce entourée de rayons d'abeilles et les murs étaient couverts d'alvéoles géantes. Le bourdonnement ne pouvait provenir que de…

La salle fut soudain envahie par un essaim des plus grosses abeilles qu'il ait jamais vues.

Elles étaient plus grosses qu'Euclid, le chien du vieux Farmer, et semblaient deux fois plus dangereuses.

Au marché, il avait entendu des récits qui parlaient d'abeilles géantes qu'on pouvait trouver dans la Vallée au sud et qui ne laissaient personne approcher de leur miel.

C'était probablement la raison pour laquelle elles étaient en train de l'attaquer.

Dans un nuage bourdonnant, les abeilles fonçaient sur lui et il fit immédiatement volte-face pour fuir. Puis, il s'immobilisa en voyant quelque chose, trois choses, pour être précis, qui lui barraient le chemin. Ces trois créatures, de grande taille et couvertes de fourrure, portaient des vestes colorées, l'une rouge, l'autre verte et, la dernière, bleue.

Des ours. Trois ours très gros et tout à fait terrifiants.

Ils se tenaient debout sur leurs pattes postérieures, la tête renversée vers l'arrière et leurs rugissements couvraient presque le bourdonnement des abeilles géantes. Presque.

Tom se retourna, mais les ours se mirent à quatre pattes et le chargèrent. Il se retrouvait maintenant face à l'essaim d'abeilles en colère.

Il se voyait pris comme dans un étau entre les abeilles et les ours, et nulle part pour se réfugier.

. . .

—Mais, qu'est-ce qui se passe ici? demanda Percival, en le secouant.

Tom était agenouillé sur le pont de la *Reine des airs*, et tenait toujours le fragment de Spark, qui avait cessé de briller, dans sa main.

—Une autre vision? demanda Randolf.

Tom regarda autour de lui en essayant de maîtriser les battements de son cœur et s'attendant à voir les ours et les abeilles foncer vers lui.

—Oui, dit-il, en remettant le fragment de Spark dans sa tunique.

Il s'efforça de mettre de l'ordre dans ses pensées et de comprendre la signification de ce qu'il avait vu, alors que le bourdonnement des abeilles géantes et le rugissement des ours résonnait encore dans ses oreilles.

—Et maintenant? demanda Percival. La vision t'a-t-elle dit ce qu'il fallait faire ensuite?

D'un mouvement hésitant, Tom se remit debout.

—Vers le sud, dit-il. Nous sommes censés aller vers le sud.

—Vers le sud, dit Percival en clignant des yeux.

Il se mit aussitôt à courir vers le poste de barre, Abbey et Barclay le suivant de près.

—Est-ce que je peux t'aider à manier la barre de la *Reine des airs*? demanda Barclay.

—Je peux diriger le vaisseau mieux que toi, merci, protesta Abbey.

—Vous pouvez prendre la barre tour à tour, qu'en pensez-vous? suggéra Percival. Toute discussion était inutile, alors tout se mettait en place de la meilleure façon possible.

Tom était encore sous le choc de sa dernière vision. Agrippé au rebord du vaisseau, il s'efforçait de retrouver ses sens. *Que veut dire tout cela?* se demandait-il. Les abeilles géantes et les ours féroces ne lui avaient pas fourni d'explications.

Il jeta un coup d'œil de l'autre côté du pont et vit que Randolf et Lorimar l'observaient avec inquiétude. S'efforçant de sourire, il leur fit un signe de la main, essayant de faire preuve de plus de confiance qu'il n'en ressentait vraiment pour le moment.

Roderick sauta sur le rebord du vaisseau à côté de lui.

—Ça va, Tom? demanda son meilleur ami.

Il aurait voulu dire à Roderick que ça n'allait pas tellement bien, lui confier qu'il était complètement affolé et que sa nouvelle vision avait été la plus terrifiante, mais il n'en fit rien.

Il ne le pouvait tout simplement pas.

Tom était le chef. Ils dépendaient tous de lui – toute la Vallée, le monde entier, même – dépendait de lui.

Et, plus important que tout le reste, le Rêve comptait sur lui.

—Ça va très bien dit-il à Roderick en souriant. Juste un peu de fatigue, c'est tout. Ils sentirent que le grand vaisseau, du ciel barrait à droite alors que s'amorçait son long parcours vers le sud.

—Être un héros est très exigeant, n'est-ce pas, Tom? demanda Rodcrick, en posant sa tête sur l'épaule de Tom.

—C'est sûr, répondit Tom à son ami, en plongeant son regard dans l'horizon nocturne. Il se souvint alors des jours où tout était plus simple, où ils n'avaient qu'à se soucier de récolter des navets, où les rêves qu'il entretenait de devenir un héros n'étaient que des rêves lointains.

Seulement des rêves.

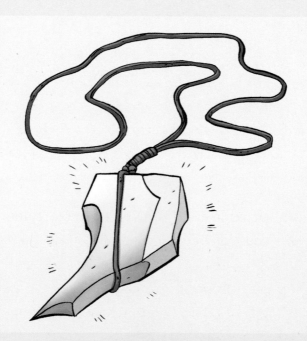

Mamie Ben était fatiguée et continuait de combattre le sommeil, luttant contre les forces obscures qui menaçaient de l'entraîner vers le bas, toujours plus bas vers les ténèbres.

Prissy et elle avaient finalement quitté le château, abandonnant le chevet de Thorn, la reine endormie, pour s'aventurer au cœur de la ville.

Les choses étaient pires que ce qu'elle avait craint. Où qu'elles aillent, elles les trouvaient : les habitants d'Athéia profondément endormis et aux prises avec d'affreux cauchemars. Il ne fallait pas être un génie pour s'apercevoir que quelque chose clochait, le Rêve n'allait pas bien du tout.

Elles avaient essayé de trouver l'homme saint, le prêtre Veni-Yan, ceux qui étaient sous l'emprise du Rêve, mais elles-mêmes avaient succombé à la menace de l'au-delà. Il semblait qu'elle frappait les plus forts en premier lieu, ceux qui entretenaient un lien avec le pouvoir du Rêve, ceux qui pouvaient représenter une menace.

La menace de l'au-delà semblait jouer avec les plus faibles, jouissant de la peur qu'elle causait. Au début, Mamie Ben fut vexée de ne pas avoir figuré parmi les premiers touchés, mais elle comprit rapidement que c'était mieux ainsi. Elles pourraient, elle et Prissy combattre... elles essaieraient de trouver de l'aide.

Puis, elle avait perdu Prissy, après avoir décidé de quitter la ville. Il fallait trouver un cheval, un qui n'avait pas succombé à la malédiction et qui ne se soit pas endormi, afin de partir à la recherche de réponses, et de trouver de l'aide.

Mamie Ben s'était efforcée de rassurer son amie, lorsqu'elle avait finalement réalisé qu'elle parlait toute seule.

Prissy était couchée dans l'embrasure de la porte de l'écurie et ronflait à poings fermés. Elle essaya de la réveiller, mais c'était inutile. Prissy était déjà loin, comme tous les autres. Tout comme Thorn.

Éprouvant de la difficulté à surmonter le poids du désespoir, Mamie Ben s'accrocha. Une chose horrible frappait le royaume, et quelque chose lui disait – cet affreux picotement encore – que ça ne se produisait pas seulement ici. La menace pesait sur toute la Vallée et elle provenait du Rêve.

Quand elle eut fini de seller son cheval, elle franchit les portes principales, mais le cheval s'était endormi en plein galop et s'effondra au milieu de la rue, la projetant sur le sol. C'est là qu'elle se trouvait étendue, essayant de toutes ses forces de ne pas succomber à la profondeur des ténèbres, comme tous les habitants de la ville.

Mais, elle était tellement fatiguée. Elle sentait ses yeux toujours plus lourds, comme si on y avait attaché de lourds boulets, tirant les paupières comme des volets sur ses yeux en feu.

Je pourrais peut-être me reposer juste un instant, pensa-t-elle tandis que ses yeux se fermaient, *j'aurai ensuite certainement assez de force pour me battre…*

Mais, Mamie Ben savait que tout était fini et, au moment où elle ferma les yeux, elle sentit le monde se dérober sous elle. Elle succomba aux forces obscures qui l'avaient traquée, des forces qui s'étaient échappées du Rêve pour l'entraîner vers le fond.

Elles se riaient d'elles, ces forces terrifiantes, un rire de gorge sombre. Elle se réjouissait de l'avoir enfin prise dans leurs filets. Mamie Ben essaya de reprendre conscience en jetant un coup d'œil vers les ténèbres, ouvrant pour ce faire son troisième œil. Elle les aperçut brièvement tandis qu'elles déployaient leurs ailes d'ébène et se dressaient sur leurs pattes puissantes, leur rire joyeux se transformant lentement en rugissement sauvage.

Elle n'avait jamais contemplé, *senti*, quelque chose d'aussi vicieux.

Mamie Ben fit appel à toutes les forces qui lui restaient une fois encore, mais elle vit que cela ne lui permettrait pas de s'opposer à elles. Et, tout en s'enfonçant toujours davantage dans l'ombre, elle se demanda si quelqu'un quelque part le pourrait.

FIN DU PREMIER LIVRE

JEFF SMITH est né et a grandi dans le Midwest. Il a appris l'art du dessin humoristique en lisant des bandes dessinées, des romans illustrés et en regardant les dessins animés à la télé. Au bout de quatre années consacrées aux bandes dessinées du journal étudiant de l'université de l'Ohio, et après cinq années consacrées à la codirection de la société d'animation Character Builders, Smith fonda Cartoon Books en 1991 afin de publier les aventures de Bone. Entre deux projets, Smith consacre une bonne part de son temps à la promotion à l'international de la bande dessinée et des romans illustrés.

TOM SNIEGOSKI est l'auteur de plus de deux douzaines de romans, dont The Fallen, une œuvre fantastique en quatre volets pour adolescents qui fut adaptée pour la télévision, et la série des Billy Hooten : Owlboy. Il a coécrit avec Christopher Golden la série Outcast qui fera l'objet d'un film des studios Universal et a également collaboré avec Jeff Smith sur un numéro hors série de la saga Bone : *Histoires à dormir debout*. Sniegoski est né et a grandi dans l'État du Massachusetts où il vit avec sa femme et leur labrador.